JN167483

敗者のゲーム

［原著第８版］

チャールズ・エリス【著】
鹿毛雄二＋鹿毛房子【訳】

WINNING THE LOSER'S GAME
Timeless Strategies for Successful Investing
Eighth Edition

Charles D. Ellis
Yuji Kage＋Fusako Kage

日本経済新聞出版

WINNING THE LOSER'S GAME

Timeless Strategies for Successful Investing, Eighth Edition

by Charles D. Ellis

Japanese translation rights arranged with McGraw Hill Education, Inc.
through Japan UNI Agency, Inc., Tokyo

Design
NOAMI DESIGN OFFICE Inc.

敗者のゲーム

［原著第8版］

WINNING THE LOSER'S GAME

Timeless Strategies for Successful Investing

Eighth Edition

序文

バートン・G・マルキール
（経済学者、『ウォール街のランダム・ウォーカー』著者）

比喩を使って説明すると、物事はわかりやすくなる。すぐれた比喩は、私たちの考え方や市場をも動かす。たとえば、アダム・スミスの「見えざる手」という例えは経済学に大きな影響を与え、自由な資本市場の考え方の基本となった。

エリスの比喩も投資業界に同様の影響を与えている。『敗者のゲーム』は、1985年に初版が発刊されたが、基本となる考え方はその10年も前に専門誌に発表されていた。エリスは、テニスの試合を例に取り、アマチュアは相手に負けるのではなく、自分のミスで自滅することが多い、と述べる。アマチュア同士で試合をすると、プロのようにドロップショットや力強いサーブで点を取って勝つのではなく、ミスが少ないほうが勝つ。淡々とボールを返し、相手のミスを待つのが最良の戦略だ。

投資も同じであり、市場に勝とうとしないことが一番よい方法だ。すべての株式に投資するインデックス・ファンド（投資成果が特定の市場平均指数に連動するように運用されているファンド）を買って所有し続け、経済成長を待つことが、投資の成功法だ。個々の株を売買すると余計な経費や高い税金がかかり、テニスで言うアンフォーストエラー（単純ミス）につながる。

市場が発展し、本書の改訂版も次々と出版されて、エリスのアドバイスは専門性の高いプロの投資家だけでなく、一般の方々にも徐々に理解されるようになった。

100年前、株取引の90%は一般の人たちによるものだった。こうした状況では、プロの投資家は早く情報を入手できるので有利と考えられ、インデックス投資よりよい結果を残すこともできた。しかし時がたつにつれて、ほとんどの人が退職金制度を運営する機関で投資信託や株価指数連動型上場投信（ETF）に投資するようになり、現在では90%以上の取引が、プロの機関投資家によって行われるようになった。そうなると、どんなに敏腕のプロも市場に勝つことはとても難しい。

この『敗者のゲーム〔原著第8版〕』は、しっかりとしたデータを用いて、これまでの版よりさらに説得力を高めた。アメリカの格付会社スタンダード&プアーズ（S&P）の株式指数は、今日では投資成績を示す指標となっているが、3カ月ごとに出す報告書で、S&P1500インデックス投資とアクティブ運用（株価の上昇と配当の増加が期待される銘柄を厳選して投資する運用手法）の成績を発表している。それによると、毎年3分の1のアクティブ・マネジャーしかインデックスに勝てない。さらに、1年間勝ったアクティブ・マネジャーでも、翌年も勝てている人は、ほとんどいない。15年間のプロのマネジャーの成績を見ると、90％はインデックス投資に及ばない。さらに、勝っているマネジャーの成績も時間とともに確実に低下する。このため、儲けようとしてアクティブに売買すると、「敗者のゲーム」となる。

エリスのメッセージは今日において貴重だ。コロナ禍で多くの人が家にいて、アメリカだけでなくヨーロッパやアジアでもギャンブルが広がるようになった今、スポーツへの賭けに加えて、株の投機的売買が多くの人の娯楽になっている。最近では売買手数料がかからないので、投資をギャンブルと混同して、デイトレーダーになる人も少なくない。倒産懸念のある会社の株価が5倍にも跳ね上がり、その後急落したケースもある。ロビンフッド（人気のオンライン株式取引会社）の人気の銘柄などは、リスクが大きく価格が大きく動く。たとえばテスラでは、たった1日で25％も株価が変動する。

個人投資家の成績が芳しくないことを示す研究もある。カリフォルニア大学のバーバーとオデインは、格安手数料大手の証券会社チャールズ・シュワブの取引を6年間にわたり分析したところ、頻繁に売買した人たちの成績は、インデックス投資に大幅に負けていることがわかった。とりわけ、最も頻繁に売買した人のリターンが最悪だった。台湾では株取引は特に人気だが、この2人と台湾の学者が、15年間、台湾のデイトレーダーを調査したところ、わずか1%のデイトレーダーしかETFに勝っておらず、80%は損を被っていた。ブラジルのデイトレーディングはさらに悲惨で、3%の人しか利益を出していなかった。

この素晴らしい『敗者のゲーム〔原著第8版〕』で、エリスは手数料が安く、広く分散されたインデックス投資を勧める。そして、リバランスと積極的な税金対策をし、タイミングを計った売買をせず、慎重に考えて決めた投資方針に従うようにと言う。この新版で特に注目されることは、退職後の債券投資について再考するべきだと述べていることだ。世界中の中央銀行の緩和政策により、債券の金利はほとんどゼロで、ヨーロッパやアジアではマイナス金利というところもある。そうした状況下でインフレが2%になると、債券が長期投資に向いているとは言えない、とエリスは警告する。このような時宜にかなったエリスのアドバイスに従えば、読者の皆さんも投資の勝者になれるだろう。

まえがき

私は本当に幸運に恵まれている！　素晴らしい女性と結婚し、日々知的刺激をもらっている。アメリカに生まれ、教育の機会を与えられ、尊敬してやまない両親と子供や孫にも恵まれている。そして、資産運用の世界で、さまざまな国の優秀で熱意と創造力にあふれる多くの友人とも出会えた。この分野は将来性がある素晴らしい仕事だ。

運用というと複雑で難しい仕事だと思われるだろう。時間もかかると思われるかもしれない。大概の人は、「すべてを学ぶ」ほど暇ではなく、他にやるべきことがたくさんあるからだ。

私が魅了された資産運用業の高度の専門性は、徐々に短期的な営利主義に脅かされ、多くの人は、資産を長期的に運用するにはどうすればいいか、わからずにいる。そこで、私のこれまでの経験が読者の皆さんの役に立つのではないかと思い、この本を書いた。

この半世紀、証券市場は劇的に変わり、深刻な問題が次々と生まれた。この大きな変化については第1章で述べている。よく言われるように、問題点がわからないと、解決法は見出せない。この本で、私は率直な意見を述べている。皆さんが自分の置かれた状況を正しく理解すれば、「敗者のゲーム」を「勝者のゲーム」に変える方法がわかるはずだ。皆さんは、勝者になるべきだ。

ウィンストン・チャーチルも述べているように、「人間はとにかく勝ちたい」ものだ。運用でも勝ちたい。そして、誰でも勝てる。自分の本当の運用目的を認識したうえで、しっかりとした長期戦略を立て、その戦略を堅持すれば、低コスト・低リスクで簡単に成功できる。

過去50年以上にわたり、私は世界中の超一流の運用プロや研究者に学びながら、運用で成功するための原則をできるだけ明快に説明するよう努めてきた。「敗者のゲーム」にしたくない方にとって、本書の簡潔なメッセージは、今後50年にわたり、投資の成功のカギとなると信じている。

企業は時とともに変化し、市場も経済も上昇と下降を繰り返す。しかし、投資の基本原則は決して変わらない。ぜひ本書を一読していただきたい。投資に本当に必要なすべてを学ぶことができるはずだ。

目次

敗者のゲーム［原著第8版］

I 資産運用でまず押さえるべきこと

II 運用を少し理論的に見てみよう

III 人生設計と投資

I

資産運用でまず押さえるべきこと

WINNING
THE LOSER'S GAME

第1章　運用は「敗者のゲーム」になった

運用成績を測定している会社のデータは、運用機関の成績が期待外れであることを示している。実績を見る限り、ほとんどの投資信託、年金や財団などの機関投資家も市場に勝てていない。市場平均を上回るような成績が時折見られることもあるが、長くは続かない。「市場平均を上回る」という目標に反して、アメリカのプロの運用機関は、全体的に見ると市場に負けている。

ところで、人は気に入らない情報に出合うと、次のいずれかの反応を示すようだ。状況の変化を無視して信じていることを変えないか、あるいは、変化を受け入れて利用するかである。多くの機関投資家と個人投資家は、現実味のない過去の市場で生まれた夢を捨てようとしない。「投資機会」というロマンチックな夢に支払う代償は大きい。

資産運用の世界では伝統的に、市場に勝てるという信念が支配的だった。しかし時代は変わり、今日この前提は、プロの運用機関にとってさえあてはまらない。楽観主義が許されなくなったのだ。1年以上の成績を見ると、約7割の投資信託が市場平均を下回る。10年では8割、15年では9割が市場に負けている。

1年間では多くのファンドが市場に勝ち、10年間勝ち続けるファンドもある。しかし、長期的に見ると、ずっと市場に勝ち続けているファンドはない。そして、どのファンドがこれから勝つのかも、誰にもわからない。

もし、市場平均を上回る運用成績を実現できるという前提が正しければ、なすべきことは単純明快だ。

第一に、市場全体の動きはS&P500株価指数のような指標で表すことができるので、アクティブ・マネジャーは、S&P500指数銘柄より収益性が高くなるように、まずポートフォリオを組み直すことだけを考える。すなわち、個別銘柄の選び方や売買のタイミングを変え、業種の割合を手直しして、指数と異なるようにポートフォリオを組む。

第二に、アクティブ・マネジャーは「正しい」判断をしたいので、優秀なアナリストを集め、安く買える株や高値で売れる株を探し出すことに全力をあげる。よりよい成績をあげるために最新のコンピュータを導入し、ただちに情報を処理し、優れた技術を持つ経験豊富な専門家を採用する。

何十年も前ならこれらの方法は十分機能した。だが、機関投資家の大多数が市場平均以上の成績をあげられるという前提は、残念ながら正しくない。なぜなら、機関投資家が市場そのものだから、機関投資家全体としては、自分自身に打ち勝つことはできないのだ。機関投資家は、取引所の取引の99%を占める。運用機関の数が膨大で、能力も高く、顧客のために質の高いサービスを提供するからこそ、資産運用が敗者のゲームとなったのだ。アクティブ運用の手数料などのコストや、大型取引による売買価格への影響などを差し引けば、運用機関の成績は今後も市場平均を下回るだろう。

個人の運用成績の場合は、さらに悪い（デイトレーダーに至っては、もっとひどい。やめたほうがいい）。機関投資家の証券運用を「勝者のゲーム」から「敗者のゲーム」に変えたものは何なのか？　その分析の前に、まずこの二つのゲームの違いを検討してみよう。

「勝者のゲーム」と「敗者のゲーム」

ＴＲＷ社の著名な科学者サイモン・ラモは、「勝者のゲーム」と「敗者のゲーム」の決定的な差について、『初心者のための驚異のテニス』[1]という本で明らかにしている。すなわち、テニスには2種類のゲームがあり、一つはプロおよび天才的アマチュアのゲームで、もう一つはその他大多数のゲームである、というのだ。

いずれのゲームもプレーヤーは同じ道具、服装、同じルールに従うが、この二つは全く異なるゲームである。統計分析の結果、ラモ博士は次のように要約する。「プロは得点を勝ち取るのに対し、アマはミスによって得点を失う」

プロテニスでは、最終結果は勝者の行動によって決まる。プロのテニス・プレーヤーは長いラリーの末、強力で正確なウイニングショットを放ち、敵の手の届かない所へ打ち込んで勝利をつかむ。こうした一流のプレーヤーはめったにミスをしない。

一方、アマチュアのテニスは、これとは全く異なる。素晴らしいショットとか、長いラリーはなかなか見られない。ボールはしばしばネットにかかり、ラインの外に出る。ダブル・フォルトも珍しくない。アマチュア・プレーヤーは敵を打ち負かすことはほとんどなく、いつも墓穴を掘って終わる。得点の多くは相手のミスによるものだ。試合に勝つのは、相手の失点が多いからだ。

ラモ博士は、この仮説を証明するためにデータを集めた。普通の得点計算方法の代わりに、自ら勝ち取ったポイントとミスによるポイントを計算したのだ。これによると、プロのテニスでは、ポイントの80%が自ら勝ち取ったものであるのに対し、アマチュアのテニスでは、ポイントの80%が敵失によるものだった。

二つのゲームは基本的に正反対なのだ。プロのテニスは勝つためのプレーで結果が決まる「勝者のゲーム」であるのに対し、アマチュアのテニスは敗者のミスによって決まる「敗者のゲーム」なのである。

軍事問題を専門とする歴史家サミュエル・エリオット・モリソン提督が、『戦略と妥協』で同様の指摘をしている。「戦争でミスは避けられない。軍事的決定を行う際には、敵の戦力と計画を推定するが、それは間違うことも多い。よく考え抜かれた作戦も決して完璧ではなく、しばしばあまりうまくいかない」「戦争では他の条件が等しければ、戦略上のミスを最少にする側が勝つ[2]」

戦争は、究極の「敗者のゲーム」なのだ。

もう一つの例がゴルフだ。トミー・アーマーは『ベスト・ゴルフ』の中でこう述べている。「勝つための最善の方法は、ミス・ショットをできるだけ少なくすること[3]」。これにはすべての週末ゴルファーが頷くことだろう。

「勝者のゲーム」は、絶対的勝利に惹かれるプレーヤーが集まりすぎるために、しばしば自己崩壊する。それはゴールド・ラッシュの惨めな結末にも現れている。同じように、資産運用と呼ばれる「マネーゲーム」も、最近数十年で「勝者のゲーム」から「敗者のゲーム」へと変わった。証券運用の世界で根本的な変化が起きたからだ。市場より高い成果をあげようと懸命に努力する機関投資家が多数現れ、市場を支配するようになった。この変化がすべての原因である。全員が同じ情報を共有し、巨大なコンピュータを駆使し、市場に勝とうと全力をあげる。

今やアクティブな運用機関は、初めて市場に顔を出す金融機関やアマチュアと競争しているわけではない。彼らは他の優秀な専門家と「敗者のゲーム」を戦い、そこで勝ち残る秘訣は、相手より失点をできるだけ少なくすることなのだ。要するに、プロのファンド・マネジャーがきわめて優秀であるからこそ、個々のマネジャーは彼らの総体である市場に勝つことができない、ということだ。

しかも、今日のマネーゲームは無数の相手との競争にさらされている。ヘッジファンド、投資信託、年金基金など、何千にも及ぶ機関投資家が一日も休むことなく激しい運用競争を繰り広げている。こうした最大手の機関投資家の50番目でさえ、証券会社に対してニューヨーク、ロンドン、フランクフルト、東京、香港、シンガポールなど、世界中で年間1億ドルもの注文を出している。要するに、私たちの売買相手は、圧倒的な情報・知識・経験を備えた大機関投資家だということを忘れてはならない。

そのうえ、ファンド・マネジャーやアナリストという投資のプロは「最も優秀な」人たちだ。大学やビジネススクールでトップの成績を収め、勤勉で意欲的な人ばかりである。投資家に情報を流すアナリストも同様だ。もちろん、プロでもミスを犯すことはあるし、他の人たちはそのミスに乗じて利益を出す。しかし、魅力的な投資機会などそうあるものではないし、あったとしても長くは続かない。

物理学や社会学の統計データ分析では「平均への回帰」という考え方が確立されている。これは平均値より大きく離れた値が出ても、やがてまた平均値が多く出る状態に戻る現象を言い、投資にもあてはまる。短期的にはマーケットに「勝つ」ことのできる投資信託はあっても、長期間にわたり市場平均以上の成績を出せる投資信託はきわめて限られている。また、そうしたファンドを事前に見分ける方法を見つけた人はいない。

「コスト」以上の成績をあげるには

新しいルールのもとで勝敗のカギを握るのは、コストである。マネジャーは少なくともコスト以上の成績をあげなければならない。ここでポートフォリオ回転率を80%と仮定しよう（訳注：そのファンドの中の全株式の8割を売買により入れ替える）。さらに、取引コスト（売買手数料ならびに売値と買値の差）として買いに1%、売りに1%（これも市場平均にほぼ等しい）、アクティブ運用のための投信手数料を1・25%と仮定すると、平均的なファンドの全コストは年率3・25%となる。

アクティブ・マネジャーが市場平均に勝つためには、この3・25%のコスト以上の実績をあげなければならない。たとえば、株式投資の市場収益率の平均が7%とすると、アクティブ運用機関が市場平均と同じ成績をあげるための収益率は、コスト支払い前で10・25%なくてはならない。これだけの成績をあげることは、能力があって桁違いの情報を持つプロの投資家が独占している今の市場では、不可能に近い。ほとんどのアクティブ・マネジャーと顧客が勝てない理由はここにある。彼らは負け続けてきたのだ。

市場で、他のファンド・マネジャーに勝ち続けるプロがいるとすれば、その人は、他のマネジャーのミスを継続的にとらえる技術と敏速な対応力を持っているということになる。そして、他のプロより早く、そのミスに乗じて行動する。プロは他のプロの戦略と行動をいち早く理解し、予想する。そして困難な問題をなんとかしようとするが、他のプロも同じことをするので、誰もが大きな壁に突き当たってしまう。

アクティブ・マネジャーの運用実績が全く期待外れでも、それは彼らの責任ではない。運用機関をとりまく環境はこの60年間で劇的に悪化しており、今後さらに悪くなるだろう。卓越した装備と情報にアクセスできる優秀な人たちが参入し続けるからだ。機関投資家がわずか1割で、個人投資家がマーケットの9割を占めていた1960年代においてさえ、多くの個人投資家がプロにはかなわなかったのが現実だ。

「敗者のゲーム」に勝つために

ピーター・ドラッカーが言うように、効率的な行動とは適切な方法を見出すことであり、効果的な行動とは適切な行動を取ることだ。結局、投資のプロも市場に勝てないなら、市場を忠実に反映し、市場に負けないインデックス・ファンドへの投資を考えてみるべきだ。インデックス・ファンドは面白くもおかしくもないが、とにかく結果が出る。一方、アクティブ・マネジャーの仕事は、プロの参入が増えてきた結果、ますます大変になってきている。

多くの投資家にとって最も困難なのは、最適な投資方針を見出すことではなく、相場の高騰期も暴落期もブレずに適切な投資方針を貫くことだ。ディズレーリ（訳注：19世紀イギリスの名宰相）が言うように、常に目的達成を最優先すること。相場に振り回されずに長期運用を続けることが大切だ。

株式市場が暴落した時に冷静さを保つのは容易ではない。しかし、どんな市場環境でも自分の基本方針を守り抜くことは困難であるだけに、これはきわめて重要だ。だからこそ、投資家が適切な運用（投資）基本方針を策定し、守り抜くことに意味があり、それを怠った場合のダメージは計り知れない。市場が高騰している時も暴落している時も、相場の変動に振り回されずに長期運用を続けることは難しい（訳注：投資と運用の違いについて、本書では、個別の株や投信を売買することを投資、一方、個人の老後資金などの目的をもって、長期的に増やす行動を資産運用と説明している）。

そのために投資コンサルタントは役に立つ。投資コンサルタントの仕事は、顧客である投資家の長期的な運用目的と、それを実現するための現実的な運用方針を明確にし、守らせることである。コンサルタントは、顧客がしっかりとした運用目的を選び、それに従って行動する手助けをする。

そもそも、アクティブ運用は全体としてはマイナスになる「ネガティブ・ゲーム」だということを強調しておきたい。売買だけを考えるとプラスマイナスゼロになるが、そこには管理料や手数料などのコストがかかり、これはリターンの15％程度に達する。そしてこのコストは毎年何十億ドルにもなる。

さらに、優秀なアクティブ・マネジャーを探すうえで障害となるのは、過去の実績がよかったからといって、将来もよいとは限らないということだ。過去のデータが役に立つのは運用実績が継続的に悪い会社の場合だ。そういう会社は将来立ち直るのが難しい。

本章で述べてきたように、「市場に勝つ」ことを目指して「敗者のゲーム」に参加すれば、負けはほぼ見えている。だが、悲観することはない。勝つ方法はある。現実的な投資目標を決め、その目的を達成するための現実的な投資方針を選び、その方針をブレることなく辛抱強く貫く。そうすれば、私たちは本当の勝者のゲームができる。これが、本書で伝えたいことのすべてだ。

第2章 運用機関の本当の役割

私たちは老後に備え、生活を楽にするためにも、あるいは子供の教育資金を確保するためにも、投資を成功させたいと考える。学校・大学・病院・博物館などの運営も投資収益に頼っている。資産運用のプロの本来の仕事は、顧客の現実的な長期運用の目標達成をサポートすることにある。

しかし、投資家が運用目標を達成できていないケースはあまりに多い。これは投資家自身にも問題があるが、主たる責任は運用機関にある。運用のプロは、顧客のためにも自分のためにも、勝者のゲームとなる投資をしなければならない。

資産運用の仕事はきわめて複雑に見えるが、本質的には二つの性格を持つ。一つは、顧客である投資家のために最善を尽くす受託者責任、そしてもう一つは、収益追求の事業としての側面だ。弁護士・医師・コンサルタントなどと同様に、ファンド・マネジャーも受託者責任と収益追求との相克に悩む。

運用機関は顧客の信頼を勝ち取り、事業として発展させなければならず、長期的な発展のためには、顧客からの信頼が不可欠だ。それなのに、運用機関は今日、運用のプロとしての責任よりもビジネスを優先しがちである。このジレンマを解消するには、運用機関は顧客の成功のためのアドバイスにもっと力を入れるべきだ。これは、運用会社にとってもメリットがある。顧客満足こそ、運用機関にとって長期的なビジネス成功の基本であるからだ。

専門性の高い他のプロと同様に、運用のプロにも高度な技術が必要であり、それは次の二つの要素からなる。

一つは適正な価格を見出すこと。将来を見据えたリサーチと賢明な資産配分によって、トップクラスの競争相手に勝って超過収益（市場平均以上の収益）をあげる。だが、適正価格を見出し、市場平均に勝つことは近年ますます難しくなり、今やきわめて困難な仕事になった。

二つ目は、投資アドバイスをすること。運用のプロにとってこれは最も大切な任務だが、幸いなことに難しい仕事ではない。また、難しいことが必ずしも重要なことであるとも限らない（医学において、手を洗うことがペニシリンに次いで命を救う方法であるように）。

一流の運用の専門家は、顧客の現実的な長期目標達成にとって最適なプログラムを考える手助けをする。顧客の収入の変化や市場環境の変動、保有資産がすぐに売買できるかどうかなどのさまざまな条件を、顧客の状況に合わせて考える。その方針通りにすれば、市場が「今がチャンスだ」とか「このままにしておけない」という状況でも安心だ。[1]

運用機関の三つの問題

皮肉なことに、運用の専門家は無意識に自分で三つの問題を作りだしている。そのうちの二つは自身の積極的な活動によるものであり、徐々に深刻な事態となっている。そしてもう一つは、何もしないことから起こる。

第一の問題は、ファンド・マネジャーの使命を「市場に勝つこと」と誤解していることだ。50年前であれば、市場に勝つことはできたかもしれない。しかし、そんな時代はとうに終わっている。競争の激しい今日の市場で、市場平均を長期的に上回るマネジャーはきわめて少ない。ほとんどは市場に負けていて、しかもその負け方は半端ではない。将来、市場に勝てるマネジャーを見つけるのも、至難の業だ。[2]そのうえ、ある時期好成績であっても、その後不振になる確率はきわめて高い。[3]問題は、運用機関が市場に勝つという非現実的な商品を売り物にしていることにある。

第二の問題は、時とともに短期収益志向が強まっていることだ。この業界の優秀な人は、自分たちの高額の報酬に影響するかもしれないので、彼らの働きがどこまで価値を生み出しているかは、あまり考えたくないようだ。自分たちは優秀で、こんなにも働いているのだから、高額報酬をもらえることを当然と思っている。

資産運用業の収益性は、過去60年で次のように劇的に向上している。

●市場価格や報酬の増加によって、運用資産額は何倍にも増加

●資産に対する手数料率は何倍にも増加

この二つの相乗効果はすさまじい。その結果、運用機関の利益は増大し、個々のファンド・マネジャーの報酬は5倍近くになり、運用機関の「企業価値」も上がり続けている。

運用機関の規模が拡大するにつれ、経営層において運用のプロよりも経営のプロの発言権が増し、顧客に尽くす運用文化よりビジネス拡大志向が強まっても不思議ではない。しかし、資産増加は通常、運用成績にとってプラスにならない（運用機関の経営において、ビジネス拡大志向が強すぎることは、顧客にとって望ましいものではない）。

運用機関の最も深刻な第三の問題点は、運用アドバイスの重要性を見失っていること

だ。言うまでもなく、投資をする人のほとんどは資産運用のプロではない。多くは最近の投資に不慣れであり、専門家の助言が必要だ。プロの専門知識と判断は役に立つ。運用目標と投資方針を策定するためには、各資産の中長期的なリスクとリターンの見通しについて、有効な助言を聞くことが大きな助けとなる。

ほとんどの投資家が、投資の客観的アドバイスを求めている。自分の投資知識や技術、リスク許容度、収入、流動性、現実的な運用期間、そして、運用目的、自分の性格、収入源、短期と長期の投資政策をふまえたバランスのとれたアドバイスが必要なのだ。このことを理解すれば、投資で大切なことは市場に勝つことではないとわかるだろう。

多くの人は似ているように見えても、資産、収入、支出、期待、運用期間、運用技術、リスクと不確実さへの許容度などにおいてそれぞれ違う。こうした違いがあるからこそ、（個人であれ機関投資家であれ）専門家の手を借りて、自分を正しく理解することが重要になる。そして、プロのアドバイスのもと、自分にふさわしい運用計画を立て、どんなに市場が荒れている時もブレずにそれに従うべきだ。

スキーを例に取ればわかりやすい。コロラドのベイルやアスペンといったスキー場では、何千というスキーヤーがスキーを楽しんでいる。景色が美しく、良質の粉雪と整備されたゲレンデだからだ。しかし肝心なのは、自分の技術、体力、興味に応じて、また難易度に合わせてふさわしいコースを選べることだ。初心者コースを選ぶ人もいれば、少し難しい中級者向けや、上級者向けを選ぶ人もいる。スキーヤーはそれぞれ自分の技術やペースに合ったコースを選ぶ。だから、誰もがスキーを楽しめ、皆が勝者となる。

資産運用も同じだ。投資家が専門家の助言に従って、自分の技術や資産状況、リスク許容度に合った投資プログラムを持って投資すれば、長期的な運用目標を達成することができる。これこそが投資の専門家が担うべき重要な役割だ。

第3章　厳粛なる現実

株式市場は、昔に比べると大きく変わった。市場と投資に大きな変革が起こり、多くの投資家の皆さんもご存じのとおり、市場に勝つことはもはや不可能に近い。この60年間で、アクティブ運用は徐々に変化し、敗者のゲームとなった。

●ニューヨーク株式市場の取引は2000倍以上になり、1日の取引は約3000万株から60億株に増加。世界中の主な株式市場でも同じことが起きている。

●投資家の顔ぶれが変わった。ニューヨーク証券取引所ではかつて、年間1、2回のみ取引をする個人投資家の割合が90％だったが、現在は機関投資家とコンピュータによる24時間売買が90％を占める。また、今日の機関投資家のほうがはるかに巨大で行動も素早い。

●デリバティブ（訳注：先物やオプションなど）が出現し、従来の取引を上回る水準にまで増加した。これはすべて機関投資家によるものだ。

●60年前には存在しなかった12万人ものアナリストが米国公認証券アナリスト（CFA）の資格を持ち、受験者も20万人に達している。

●大手証券会社の膨大な投資情報レポートがインターネットで世界中のアナリストとポートフォリオ・マネジャーに配信され、瞬時に売買につながる。

●レギュレーションFD（公正開示規制）により、企業の投資情報が誰にでも見られるようになった。企業はすべての人に同時に情報を提供しなければならず、これまでの貴重な「秘密の情報源」は、法律によって今やすべての人が知ることになった。

●高度なIT技術を活用した売買の拡大。

●グローバル化、ヘッジファンド、プライベート・エクイティが市場変化を推進。

●34万5000台のブルームバーグの端末がすべての情報を処理し、1日24時間あらゆる情報を共有している。

●株式市場で生計を立てる人は5000人から100万人に増加した。

●インターネットとeメールが世界中に技術革新をもたらし、投資家はいつどこにいても、すべての情報を得られるようになった。

長期的視野に立つアドバイスに耳を傾けよう

こうしたすさまじい環境変化は、世界最大の「情報と予測を武器とする」アクティブ・マーケットを、急速に効率的市場へと変えた。そこでは、高度な情報とＩＴ装備と経験を備えた、優秀で長時間働く運用のプロに勝つことはますます難しくなる。特にアクティブ運用のコストと手数料を考えれば、市場に勝つことはとてつもなく困難なことだ。これはプロも認める。

残念ながら、一般にパフォーマンスの議論には、運用で最も重要な概念である「リスク」が考慮されていない。このため、市場に負けているマネジャーの「負け」（損失）の合計は「勝ち」（利益）の１・５倍になっているという事実を認識する必要がある。

さらにポートフォリオが短期で入れ替わる現状を考えると、短期取引にかかる税金も考慮しなければならない。しかし、パフォーマンス・データはこの点も無視している。最後に、運用成績の計算においては、運用期間の長さは考慮されるが、金額の大小は考慮されないため、正確な運用実績とは必ずしも言えないことだ。本当の成績は、一般に示されているほどよくない。

また、数年にわたる成績不振に不満を抱いた投資家が、その時点で収益を出している魅力的なファンドに乗り換えた結果、再び「安く売って高く買う」サイクルに巻き込まれ、長期的にはリターンの3分の1を吐き出しているという問題もある（個人の場合、この割合はさらに悪い）。残念ながら、こうした人たちは、ある期間成績がよかっただけなのに、成績のよいファンドに集中投資させようとする投信会社の広告に煽られて、高コストな行動をとってしまう（数百のファンドを出している運用機関であれば、一つや二つ好成績のものもあるだろう）。

ファンド選択にあたり、個人が過去のパフォーマンスをもとに決めることはよく知られている。だが、将来の成績は、ほとんど過去の成績とは関係がないという調査結果がある（唯一関係があると言えるのは、過去の成績が最悪のグループは、将来の見込みもないことだ[1]）。その結果、機関投資家も、個人投資家も、ベストの成績を出した後にそのファンドに投資し、最悪期を脱した後に売却するという、泥沼に陥ってしまう。

長期リターンに役立つ運用アドバイスは、市場に勝つことよりはるかに顧客の信頼を得られる。もちろん、有効な助言をするには、運用の本質、市場実態、顧客の状況を理解する必要があり、時間もかかる。それだけに、運用アドバイスは丁寧かつ継続的に行う必要がある。

個々の顧客が運用リスクを理解しながら現実的な投資目標を設定し、貯蓄と支出のルールや資産配分を定め、市場の高騰期や暴落期においても冷静さを保つためには、しっかりとした専門家のアドバイスが重要になる。専門家は、顧客が長期的視野に立つ方針から外れないように、助言する必要がある。そのためには、各資産の長期的収益性やリスク、時に起こる乱高下についてきちんと説明し、長期運用を貫くことが成功のカギであることを顧客が理解できるよう、努めなければならない。

第4章　それでも市場に勝ちたいなら

資産運用において、リスク調整後で市場に勝つ唯一の方法は、競争相手のミスを見つけ、それを利用することだ。それは可能だし、ほとんどの投資家がやってきたことだ。しかし、運用手数料や売買手数料などのコストを差し引いた後で、長期にわたりコンスタントに市場に勝ち続けられる投資家は、ごく少数だ。特に「ゲームの参加費」を払った後も勝ち続けられる人はほとんどいない。皮肉なことに、市場に勝つ人がほとんどいないのは、技術不足や不真面目さによるものではなく、市場には情報を多く持ち、ＩＴを使いこなす多くの有能なプロがいるからだ。

一般的にアクティブ運用機関は、次のような面において成果を競う。彼らはこれらの四つの能力のうちのいずれか、またはすべてを備えている。

●市場のタイミングの判断
●個別銘柄または特定グループの選択
●ポートフォリオの構成ないし戦略のタイムリーな変更
●優れた長期投資コンセプトもしくは投資哲学の開発、商品化

株式や債券の動きをたまにしか観察しない人も、このようなうまい方法が示されると飛びつきたくなる。市場全体、主要業種、さらに個別銘柄などの株価チャートを見ると、アクティブな投資家が勝てる条件がそろっているように思える。スポーツや映画、法律、医療の世界を見ても、スター選手（商品）が常に平均を上回る成績をあげているのだから、運用機関も常に平均を上回ることは可能ではないか？　市場に勝つことがなぜそれほど困難なのか？

収益率を上げる最も直接的な方法は、市場のタイミングを的確につかむことだ。昔からこの方法を採用している投資家は、いつ市場へ参加するか、あるいはいつ撤退するかのタイミングを計り、上昇局面では全額投資し、下降局面で売却しようとする。また、市場全体よりパフォーマンスが劣ると予想される株式グループからは手を引き、上回ると思われるものへシフトするやり方もある。

大切なことは、あなたが売ったものを買い、そして買ったものを売るのは、皆トップの専門家であるということだ。もちろん、プロである彼らも常に正しい判断をするわけではないが、自分が他のプロよりも一貫して正しい判断ができると言える人は何人いるだろうか。しかも、取引のたびに手数料がかかり、売買益が出れば税金もかかる。タイミングに賭ける取引がうまくいかないことは、これまで何度も立証されてきた。現実にコストが発生し、それが増えていくからだ。

市場タイミングに賭けるべきでない理由

運用の歴史を振り返ると、市場が大底から回復する最初の1週間に、株式リターンのかなりの部分を得られることは明らかだ。しかし、一般にタイミングに賭ける人々は、その時にはすでに手持ちがないので、最もおいしい部分を手に入れられない。今日の競争の激しい相場で、タイミングを見計らうのは難しい。一度や二度ならともかく、何年にもわたってプロを相手に勝ち続けられるはずがない。しかも市場はあなたが気づくよりはるかに早く動いてしまうものだ。

債券のポートフォリオでは、金利が低下しそうだと見ると、長期債の価格が上がる前に長期債に乗り換え、逆に金利が上昇しそうだと見ると、長期債の価格が下がる前に短期債に乗り換えるといったことを考える。バランス型ファンドでは、株式の収益率が債券より高くなると予想される時には株式の割合を高め、逆の場合は債券の割合を上げる。だが残念ながら、こうした行動は大抵うまくいかない。その理由は、1回や2回はともかく、売り手は買い手と同じくらい頭がよく、両者とも同じ情報を共有しているからだ。やればやるほど傷が深くなる。

市場のタイミングを計る取引がいかに難しいかは、あるプロの率直な嘆きからもよく理解できる。「市場タイミングに関するさまざまな興味深いアプローチを見てきて、40年間の運用でそのほとんどを試してみた。しかし、どんなによい方法であっても、私の時にはどれ一つとしてうまくいかなかった。なに一つ！」

年老いた（オールド）パイロットや向こう見ずな（ボールド）パイロットはいるが、向こう見ずで長生きしたパイロットはいないという。同じように、市場タイミングに賭ける方法で繰り返し成功した人もいない。長い目で見れば、株式市場は投資家が売った後もほぼ同じ水準で推移する。だから、ときどき売却する人の利回りは、ただ持ち続けている人と比べて低い。賢い人は株の売買で市場に勝つなどということは考えもしない。彼らは当初のプランを変えないことが大切だとわかっているのだ。

市場タイミングに賭けるべきでないもう一つの理由は、さらに衝撃的だ。図4－1は、

図4-1　1980～2016年の間でベストの何日かを逃した場合のリターンへの影響

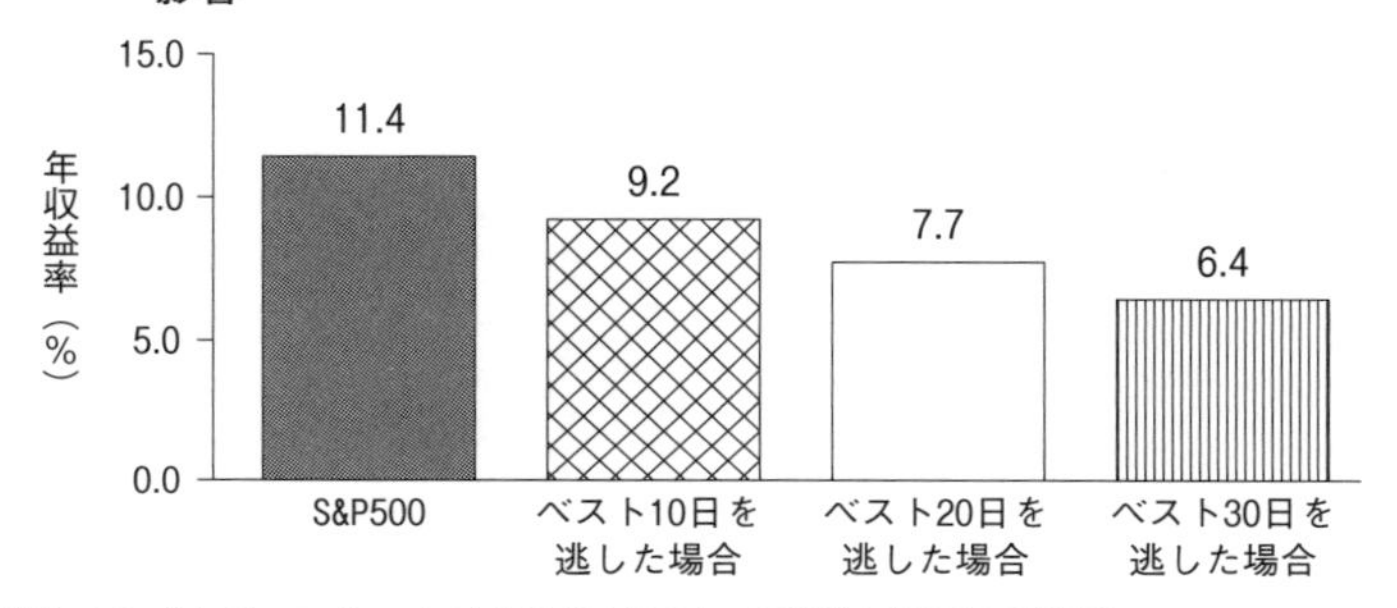

出所：ケンブリッジ・アソシエイツ（1980年1月1日～2016年4月30日の調査）

図4-2　数年を逃した場合のリターンへの影響

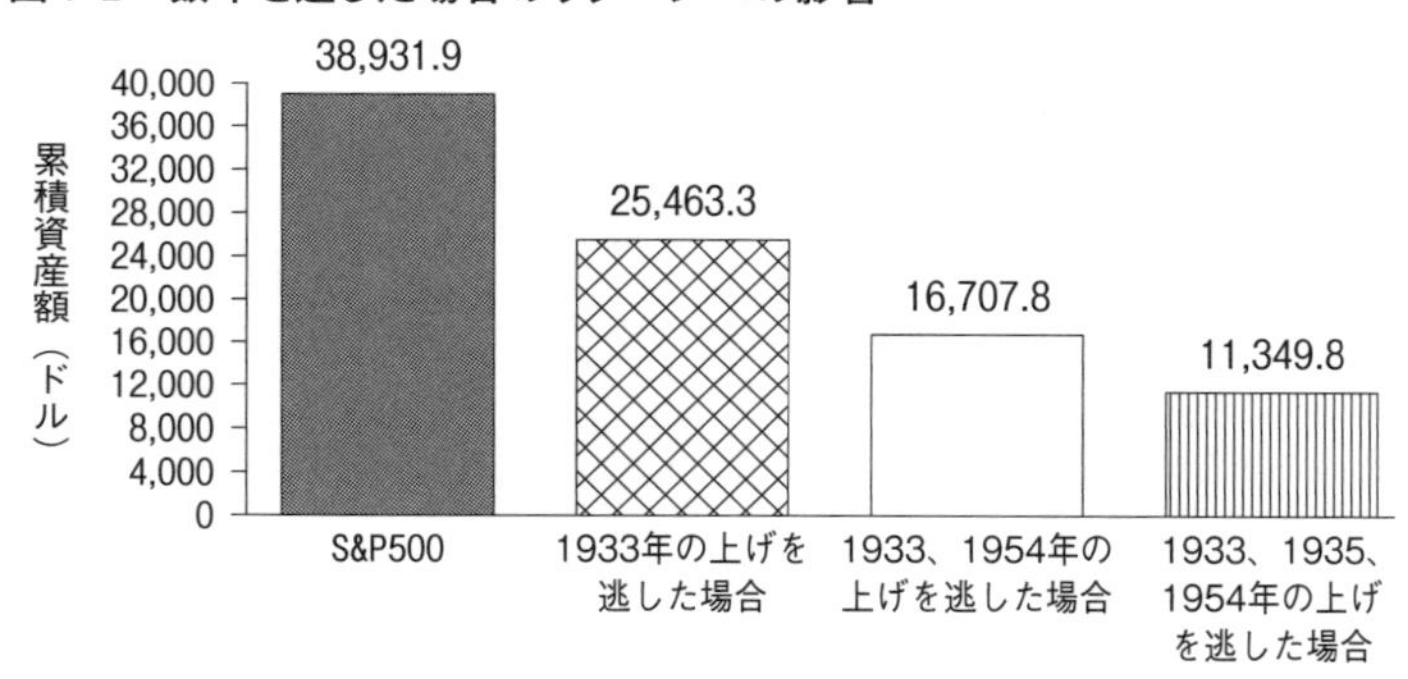

出所：ケンブリッジ・アソシエイツ（1980年1月1日～2016年4月30日の調査）

36年間のデータに基づいて、ベストデーを逃した時の株式のリターンに与える影響を示している。その期間において最も上昇したベスト10日（検証期間全体のわずか0・1%にも満たない）を逃すだけで、リターンの平均水準は11・4%から9・2%へと低下する。ベストの上昇日をさらに20日間逃すと、リターンは9・2%から7・7%へと低下してしまう。同じく図4-2は、ベストの数年を逃した場合の、長期累積資産額への悪影響を示したものである。

S&P500の平均リターンを分析した調査を見るとわかりやすい。20年間の株のトータルリターンのすべてはベスト35日間に達成されている。これは5000日の取引日の1%にもならない（もし私たちに、それがどの月かを見分けることができれば、利益は計り知れない。しかし、そんなことは不可能なのだ。現時点でわかることは、このベストデーを逃したら、20年間にわたって蓄積される利益のすべてを失ってしまうということだ）。

もう一つの調査では、72年間のうちの5日間のベストの日を逃すと、配当を再投資しない場合、複利で50%近く損をする。過去112年間で10日のベストデーを逃しただけで、この間の利益の3分の2を失うという。[1]

四つのリターン向上策

長期的に見て投資家が失敗する原因の一つは、激しい下げ相場に遭遇しておじけづいて株から手を引いた結果、先述のように、最大の上げ相場になった時に参加する機会を逃してしまうことだ。この教訓は明らかだ。投資家は、「稲妻が輝く瞬間」に市場に居合わせなければならないということだ。相場のタイミングに賭ける投資は間違っており、決してやってみようなどと考えてはならない。

投資のリターンを向上させる第二の方法は、将来性のある銘柄を発掘し、誰よりも早く割安価格を見出すこと。ファンド・マネジャーは、この仕事に異常なほどの技術と時間と精力を費す。競争相手や取引先の分析・調査などから、一流のファンド・マネジャーは、企業（あるいは企業グループ）の適正な株式価値を定めようとする。そして定めた株の適正価値と現在の市場価格に大きな差がある場合にだけ、売買する。

この適正価値を見つける競争は、SEC（証券取引委員会）の公平開示原則導入以前においては可能であったかもしれない。しかし、現在こうした分析が役に立ち、利益をもたらすとは思えない。ある運用機関の分析に基づいて売却した株や買わなかった株でも、リターンが平均並みになることがしばしばある。情報優位で積極的に行動する機関投資家が全体としての市場価格を決めているからだ。

問題は、しっかりとしたリサーチをしなかったからではない。大手証券会社の調査アナリストは、最新情報と自分の下した評価を何百人もの世界中のファンド・マネジャーに瞬時に伝え、それを受け取ったファンド・マネジャーは競争相手が動く前にと、すぐさま行動を起こす。そのため、他の人より常に優位に立つことが難しくなったのだ。運用機関が互いに売買する結果、市場は「効率的」になるという研究結果もある。

リターン向上の第三の方法は、投資戦略の工夫だ。投資戦略とは、主な業種の調査分析や経済および金利の変化、さらに「新興成長株」や「バリュー株」といった、主要株式グループの評価の変化に基づいて検討される。

「適切な時に、適切な場所にいて、適切なものをつかむ」という投資アプローチは、たしかに大きな可能性に満ちていて、魅力的に見える。一流の運用機関は絶えず市場の変化に合わせて新しい（多くはまだ知られていない）運用手法を発見しようと努力している。そして他の運用機関がその新しい方法を取り入れると、さらに新しい運用手法を考える。

もちろん、こうしたことは、理論上は可能だ。しかし、実際にうまくいくだろうか？　たまにうまくいったとしても、どのくらいの頻度でうまくいくのか？　実績を見る限り、結果ははかばかしくない。

第四のリターン向上策は、市場の特定の分野、または企業・産業グループにおいて長期的に超過収益を生み出す力は何かという問題を掘り下げ、それを体系的なものに作り上げていくことである。たとえば、成長株投資に特化する運用機関なら新技術を評価し、急成長企業の経営手法を検討し、新規投資を支える財務能力や新製品の分析をする。こうした運用機関は、見せかけの成長株と本当の成長企業の見分け方を、時に苦い経験を通して学ぶものだ。

また、多くの成熟した大企業、特に景気循環型の企業の中には、他の投資家が認める以上の投資価値を持つものが常に存在するし、優れた調査によってこうした企業を見分けられると信じる運用機関もある。そうした運用機関は、見込みのない低位株を避けたり、競争相手がまだ気づいていない銘柄を見つけ出す方法を開発したりして、専門能力を磨く。下値で有望銘柄を拾うことで、投資家にとって低リスクで高い収益率を実現しようとするのだ。

四つのリターン向上策の問題点

一流運用機関の多くは、この四つのリターン向上策のいずれかの手法に特化して運用している。それを「投資コンセプト」または「投資哲学」と呼ぶ。その投資コンセプトあるいは投資哲学をテストする方法は、たとえ短期的には成績が悪くなっても、その投資哲学を長期的に実践する能力を、運用機関が持っているかどうかをチェックすることだ。

このアプローチの大きな利点は、運用機関が独自の運用手法を実行できるように組織全体を特化させることで、他にもっといい方法があるという雑音に耳を貸さなくてすむことだ。また、こうした独特の運用手法に関心を持つ熟練した証券アナリストやファンド・マネジャーを惹きつけ、継続的に実践しつつ、研究を重ねることができる。しかしその一方で、運用手法が陳腐化したり変化の激しい市場から遊離したりした場合に、方針変更の必要性に気づかず、後手に回ることが多いという大きな欠点もある。

つまり、明らかに言えるのは、アクティブ運用において、超長期にわたって通用する投資哲学など、ほとんど発見されなかったということだ。おそらくその原因は、自由な資本市場において、比較優位を確立する機会を得たとしても、それを長期間にわたって持続させるのはほぼ不可能であるからだ。噂はあっという間に広がり、皆が真似をする。

アクティブ運用のこれらの四つの形態は、いずれも「他人の失敗の上に成り立つ」という基本的な性格を持つ。個別銘柄であれ、特定の株式グループであれ、アクティブ投資家が収益機会を得る唯一の方法は、見落としや過失によってプロの競争相手の予想が誤った時である。このような間違いは確実に起こる。しかし、その頻度はどのくらいか？ 逆に、自分が間違いを犯さない可能性はどのくらいか？　他の多くの人と逆の行動をとる知恵と勇気を持てるのか？　こうした疑問を持たなければならない。生涯にわたる投資を成功させる方法は、ミスを減らすことだ。

個別銘柄や業種について、株価とその潜在的価値の関係を分析する競争相手は多く、あらゆる情報は瞬時に広がる。こうした中で、個別銘柄や株式グループから競争相手が見落としたものを見つけ、利用する機会は、あまりない。

多くの人がミスをするのは、利益を出そうと決めた額以上に無理に投資をするからだ。特に多額の借金をし、そして残念な結果となる。ほとんどの場合、勝とうと頑張り過ぎると高くつく。

これと反対の意味で投資家が犯すミスは、慎重になりすぎることである。短期的な下げにすぎないのに、慌てて長期運用目標を忘れてしまう。長期的に見れば、株式ポートフォリオの中で少なめでも現金を持っていると損をする。しかし優秀な運用機関であれば、強力な競争相手が失敗して自分に有利な機会をくれるわけはなく、したがって競争相手、つまり市場に勝ち続けることなど不可能だと気づくだろう。

市場は完全に効率的ではなく、コスト以上に儲けられるものでもない。市場に勝てないのだから、インデックス投資のよさに皆さんも気づいていただけるはずだ。その大きな理由は以下の四つである。①株式市場はこの60年間で激変した。②インデックス運用はアクティブ運用より成績がいい。③インデックス投資はコストが低い。④インデックス投資を行えば、長期の運用基本方針に集中できる。

はっきり言おう。自分は投資技術も情報も十分にあり、個人投資家としてトップ20人に入っていると多くの人が思っている。おめでとう！　でも気をつけて！　他の人よりどんなに優秀であっても、運用機関などのプロの投資家が席巻する昨今の市場では、あなたは絶対に平均以下に陥る。プロの投資家は何百万もの巧みな取引を常に行い、あなたや私の一生の取引量よりはるかに多い、桁違いの取引をたった1日で行う。

投資の四つの基本原則

株取引での成功のカギの第一歩は、他の人より優れた技術や知識そのものではなく、個々の取引に関する技術と知識の必要性を理解することだ。市場全体の9割を占める機関投資家が行う取引は、自分より技術も知識もはるかに高い人たちによるものなので、最も有能な個人投資家でも、かなりの確率で最低の成績に陥りやすい。

こうした研究はアメリカでは広範に行われている。カリフォルニア大学の金融論の教授であるテランス・オディーンは、「なぜ投資家は売買しすぎるのか？」という論文の中で、

15年間で大手証券会社を通して個人投資家が行った10万件近い取引を分析している。それによると、個人の購入した銘柄は、購入後1年間で市場平均を2・7%下回る一方、売却した銘柄は売却後に市場平均を0・5%上回ったという。

ラスベガスもマカオもモナコも、いつも多くの人であふれている。これを見てもわかるとおり、すべての人が合理的に行動するとは言えない。それでもなお、プロのファンド・マネジャーに勝てると信じ、勝ちたいという夢を捨て切れないなら、幸運を神に祈るしかない。

次に、これまで優れた投資家が守ってきた投資の基本原則をまとめてみよう。

①投資の最大の課題は、株式・債券・不動産などへの長期的な資産配分の決定である。
②長期的な資産配分の決定に際して考慮すべき点は、将来何にその資金を使うのか、いつ資金が必要になるか、決めたとおりに守り抜けるか、という点である。
③資産を種類ごとに幅広く分散する。
④決めたことを一貫して忍耐強く実行する。暴落は突然起きる。上昇相場は相場の最悪期に起こる。一喜一憂した時の損失は大きい。「方針をきちんと立て、方針どおりに行動すること」。

だからこそ、①の資産配分方針が重要である。

奇妙なことに、大多数のアクティブ・マネジャーは、高い成果を求めると言いながら、この基本原則に反して次のような行動を取っている。最適な資産配分確認に十分な努力を払わず、ポートフォリオはいつその資金が必要になるかを考えて作られていない。資産を十分に分散していないので、必要以上にリスクを取り、損失を被る。決めたことを一貫して実行する辛抱強さに欠け、積極的に売買することで、かえって高い手数料とコストと税金を払う羽目になる。こうした具合だ。

圧倒的な競争力と情報を持ち、機敏に行動する大機関投資家が増えるにつけ、投資の現実を直視することがより重要になりつつある。しかも過去20年間、9割以上の専門運用機関は市場に負けてきたのだ。私たちにとって、現実ははるかに暗い。

第5章 「ミスター・マーケット」と「ミスター・バリュー」

株式市場は短期的に乱高下するが、長期的予想をすることは、実はそれほど難しくない。株式市場を理解するには、まず「ミスター・マーケット」と「ミスター・バリュー」という2人の登場人物を通して、マーケットそのものと、投資家としての自分の姿を正確にとらえればよい。

ミスター・マーケットはとにかく面白いキャラクターなので、常に注目の的である。これに対してミスター・バリューは、気の毒にも無視されることが多い。ミスター・バリューはせっせと真面目に働いているのに、やんちゃなミスター・マーケットは悪ふざけばかりしているのだから、これではとても不公平だ。

いたずら好きのミスター・マーケット

ベンジャミン・グレアムの古典的名著『賢明なる投資家』(1)によれば、ミスター・マーケットは精神的に不安定で、感情的な行動をとりがちだ。有頂天になったかと思えば、落ち込んで絶望的な気分に浸ってしまう。とても気分屋なので、いつ気持ちがどちらに振れるかわからない。彼はなんとかしてその時の自分の気分に私たちを引きずり込み、売買をさせようとする。なるべく多くの取引をさせるために、頻繁に、時には激しく、価格を変える。

いたずら好きのミスター・マーケットは、いつも投資家を翻弄する。予想外の収益や配当、突然のインフレや政策変更、物価指数の変動、倒産、新技術の出現、時には戦争の可能性などをちらつかせ、投資家の気を引こうとする。手品師が私たちの注意をそらすために工夫を凝らすように、ミスター・マーケットも短期的に私たちの目をそらせ、混乱させようとする。無責任なミスター・マーケットは世の中の情勢にはおかまいなしで、踊りに夢中になっている。彼の目的はたった一つ、魅力的であることだ。

一方、ミスター・バリューは表情一つ変えない。彼の暮らす世界には、感情や幻想の介入する余地はない。彼は夜も寝ずに財やサービスを生産し、分配し続ける。黙々と仕事を続け、毎日地に足の着いた仕事をする。楽しくはないが、経済そのものを動かしている。

長期的には、ミスター・バリューはミスター・マーケットに必ず勝つ。ミスター・マーケットのどんないたずらもそう長くは続かないが、ミスター・マーケットが楽観的な時も悲観的な時も、実体経済においては、製品やサービスは普段どおり生産され、流通する。長期投資で成功するには、ミスター・マーケットに振り回されずに、しっかりと自分の投資方針を堅持しなければならない（親が反抗期の子供に振り回されてはならないのと同じだ）。

毎日の「天気」と「気候」は別物だ。「天気」は短期的な現象、「気候」は長期的な現象を指す。この違いは重要だ。気候のよい場所に住みたいなら、先週の天気だけを参考にしても意味がない。同様に、長期投資を行う時に、一時的なマーケットの上下に振り回されてはならない。ミスター・マーケットの動きを無視したほうがいい。日々の市場動向は、日々の「天気」と同様、それほど重要ではない。ミスター・マーケットを無視して、現在の株価の動きに振り回されることなく、実体としての企業に対する投資、すなわち、企業収益と配当の成長に注目すべきだ。

ミスター・マーケットは、予想外の短期的な価格変動で投資家の関心を引こうとするので、ベテラン投資家は市場の歴史を学ぶことで対抗する。航空会社のパイロットが、フライト・シミュレーターで、暴風雨などあらゆる事態に備えて訓練を重ねるのと同じだ。そうすることで、実際に不測の事態に遭遇しても冷静さを保てる。過去に市場がどのように動いたかを知れば知るほど、今後の市場の動きについても見当がついてくる。これまで株式市場がどのように動いてきたかを学べば、市場の本質がわかり、今後市場がどのようになるかがわかる。

そうすれば、一見不合理なマーケットの動きも、合理的に理解できるようになる。少なくとも、ミスター・マーケットの短期的ないたずらによって、長期投資政策から脱線することはなくなるだろう。歴史を知れば知るほど、日々の市場動向に右往左往することも少なくなる。

新人ドライバーが、起こるべくして起こった事故にもかかわらず、「相手の車が突然飛び込んできた！」などと言い訳するように、知識のない人はマーケットの「異常」に出合って肝をつぶす。しかし、歴史的に見れば、びっくりするような相場などめったにない。時おり「異常事態」は起こるが、統計的にはそれも想定の範囲内だ。経験者から見れば、全く驚くにはあたらない。そんなことに驚いて振り回されてはならない。

もちろん、マーケットの「暴落」を避ければ、投資のパフォーマンスはずいぶん改善するだろう（新人ドライバーが「パニックに陥る」ことが減れば、事故が減るのと同じだ）。しかし、短期的には、そうしたマーケットの予期外の展開や乱高下は避けられない。そして長期的には、運用成績は平均へと回帰するものだ。短期的に高い収益が得られれば嬉しいが、長期的に見れば、この超過収益は消えてしまう。

株式市場と「平均への回帰」

引力はいつも強力な力で働く。株式市場における強力な力は、平均値に戻ろうとする力である。これは簡単に言えば、時間をかけて常識的な平均値に向かおうとする動きだ。たとえば、会社の業績を見ると、他社に比べて最近著しく成長している会社が、この先もずっと他社より成長し続ける可能性は低い。同様に、業績の悪い会社も、今後そこまで悪化しない傾向にある。

このような「平均への回帰」の動きはPER（1株当たりの収益に対する株価の倍率）の状況で発生する。株は収益に対して株価の倍率が高くなった時に売られるので、PERの高い状況は長続きしない。そしてもちろん、利益とPERが極端に上昇（または下落）した場合には、二つ同時に下落（上昇）することもある。この場合、価格の下落はこの二重の下落の影響を受け、さらに大きくなる。

平均への回帰は覚えておくべき重要事項だ。私たちはうまくいっている時もうまくいっていない時も、ドキドキして、次こそは、などと期待してしまう。確かに私たちはそれぞれ異なる存在であり、違う毎日を送っている。でも大きくは違わない。大雑把に言えば、みんなそんなに違わないのだ。だから、個々の株や企業は大きく異なるという考えに基づいて個別銘柄の違いにばかり注目して売り買いを決めようとすると、実はそれほど個々の会社は違っておらず、その違いを理由に売買すればするほど、違いなど存在しないことがわかってくる。

平均への回帰は、私たちの生活のあらゆるところで見受けられる。この考え方をあてはめると理解できることが多く、また今後の指針にもできる。平均への回帰は、長期運用をする人にとって、特に重要だ。昨今の変化の激しい情勢では、この原則を知っていれば「冷静沈着」でいられるからだ。

長期投資も平均への回帰にならざるを得ない。株価が高い時には大いに期待するかもしれないが、それはよいことであるとは限らない。結果的に余分に得たリターンは平均値へと戻るので、その分、すべてではないにしても、損を被ることになる。

投資は責任のある仕事だ。楽しいお遊びなどではなく、長期にわたり黙々と継続的に行うもので、そういう意味で、石油を精製したり、化学製品、集積回路を作る行為にも似ている。こうした仕事はギャンブルのようにワクワクしながらするものではない。だから、余計なことには目もくれず、当初立てた計画どおりに行うことは、多くの投資家にとって長期的投資の成功のカギとなる。

株式投資の落とし穴は、ミスター・マーケットやミスター・バリューそのものにあるのではない。問題は、目に見えるものでも、計れるものでもない。反抗期の子供を育てる親のように、目的を見失わず、長期的視野に立って投資も静かに忍耐強く行うしかないのだ。投資で一番危険なことは、目の前の状況にとらわれすぎて、短期的視野に立ってしまうことだ。投資はまず「自分を知ること」から始まるというのは、このためである。投資に夢中になりすぎてはいけない。それはただ感情に溺れているだけだ。

市場という「期待が期待を呼ぶ」きわめて情緒的な環境のもとで、理性を保つのは容易ではない。ミスター・マーケットは、私たちを短期的視野に陥れようといつも企んでいる。投資において最も難しいのは最善の投資計画を作成することではなく、株式市場がどんなに変動しようとも、長期的視野に立って、自分の決めた投資計画から外れないことだ。

第6章

インデックス・ファンドは投資のドリームチーム

投資で長期的に成功したいなら、答えはシンプルだ。実行が簡単なインデックス・ファンドを買うこと。「平均なんて嫌だ。市場に勝ちたい」と思うかもしれない。しかし、個人がプロに勝とうとするなんて、100年早い。インデックス・ファンドとは、いわば投資の「ドリームチーム」を結集したようなものだ。毎日、それも一日中、あなたのために投資仲間として働いてくれるドリームチームをつくるとしたら、どんなメンバーがふさわしいだろうか？

ウォーレン・バフェットはまず入れるべきだろう。ジョージ・ソロスにも入ってもらおう。フィデリティのすべてのアナリストとファンド・マネジャー、キャピタル・グループのすべてのプロたちも。アメリカだけでなく世界中のヘッジファンド・マネジャーも入れてしまおう。

市場を反映するインデックス・ファンド

仮に、このような夢が現実となり、世界中のポートフォリオ・マネジャーとそのアナリストが、あなたのために働いてくれるとしよう。あなたはただ、彼らの提言を受け入れていればいい。

こうしたトッププロの投資判断を一つにまとめてしまうには、インデックスで投資すること。というのも、インデックス・ファンドは市場をそのまま反映しているからだ。投資のプロが席巻している今日の市場は、まさしくプロの動きの総和を示す。彼らは情報を得ると、素早く株価に反映させる。つまり、インデックス投資をすれば、ただちに専門家のコンセンサスを得られるということだ。実際、株式市場は世界最大の「予想市場」だ。そこでは、他人の意見に惑わされない専門家が究極の予想を出し、そこにお金をつぎ込む。プロは、自分の名誉をかけて予想をしている。

インデックス・ファンドを使えば、ドリームチームが私たちのために働いてくれるだけでなく、大きな安心感を得ることもできる。多くの人は過去の投資の失敗を引きずり、今後も損をするのではないかとひやひやしている。だが、インデックス・ファンドでは、その心配がない。

インデックス・ファンドにはさらなるメリットがある。手数料が低く、税金が安く、「実行」コストが下げられることだ。アクティブ運用の経費は高く、投信リターンを著しく損なうが、インデックス・ファンドではそれが避けられ、結果的に大きな利益を確保できる。長期的には、他の人たちに勝つことができるのだ。

インデックス投資は徐々に評価を得てきているものの、一般に経験豊富な運用機関や投資家にはひどく人気がない。この不評の原因は、平均程度のリターンしか得られないではないか、というものから、アメリカらしくないというものまで、さまざまだ。インデックス投資は「パッシブ運用」の代表例だが、不評の最大の要因は、「パッシブ」（受け身、やる気がない）というその名前にある。日々ドリームチームが懸命に考えた結果であるにもかかわらず、インデックス投資は、その価値にふさわしい評価を得ることはほとんどない。

私たちは株式市場よりも良い成績を収めようと時間とコストと努力を重ねるが、その三つを必要とせずとも、インデックス投資は大きな利益を生み出す。この働き者のインデックス・ファンドは、一見機械的で退屈なものに見えるが、企業、業界、経済、マーケットに対する広範な研究に基づいている。

株式市場はオープンで自由で競争が激しい。そこでは、豊富な情報を持ち、価格に神経をとがらせたプロの投資家が、ある時には売り手となり、ある時には買い手となって、利益を得るために絶えず競い合っている。素人でも専門家のサービスを得られ、誰でもすぐに価格がつけられる。株価操作への対策もしっかりとられ、何千人ものアナリスト、ポートフォリオ・マネジャー、ヘッジファンドなどが、市場の不備を突いて儲けようとしている。

競争相手は豊富な情報を持つ買い手と売り手だ。特にその競争相手を全体として見ると、投資マネジャーは一人では絶対に太刀打ちできない。他の優秀な大勢のプロも、あらゆる経験と専門知識、巨大なコンピュータ、そしてリサーチ機関をフルに使って、売買すべきタイミングを見計らっているからだ。

こうした市場は「効率的」とみなされているが、完全ではない。しかし、誰もが他人をいつも出し抜けるほど甘くはないとわかっている程度には効率的だ。レベルの高い競争相手が多ければ多いほど、常によい結果を出すことはさらに難しくなる（高学歴でやる気に満ちたプロの投資家が世界中で活躍している）。

効率的な市場において、価格はこれまでの株価の変動を反映しているだけでなく、株の売買がなされている企業の情報もすべて組み込まれている。

また、市場が効率的だからといって、株はいつも「適正な」値段で売られるとも限らない。ご存知のように、1987年10月、2008年10月から11月にかけて、さらに

2020年3月には、劇的な市場変動が起きた。このような時に、投資家は、市場全体に対する総合的な判断を大きく誤ることがある。これは市場が修正された後でわかることだが、楽観的になり過ぎたり、悲観的になり過ぎたりする。それでも、個々の株式についての重要な情報に基づく市場価格は「効率的」だと言えるだろう。

長期的に市場平均を上回った大手の運用機関は少なく、しかもそれを事前に知るのはきわめて難しいことを、投資家は認識する必要がある。そのうえで、「敗者のゲーム」に参加する意味があるかどうかを十分に考えるべきだ。

ウォーレン・バフェットの教訓

インデックス・ファンドは投資家に多くの選択肢を与える。そもそも何もしなくても、マーケットの動きについていくことができる。そして自分の気の向いた時にだけ、さらにポートフォリオのうち、自分がその時に売買したい銘柄についてだけ、アクティブにプレーすればよい。このように、インデックス運用にも判断の余地はある。

世界随一の投資家のウォーレン・バフェットも、誰もがインデックス投資をすべきだと主張している。彼は言う。「機関投資家であれ個人であれ、手数料の安いインデックス運用で株の投資をすればよい結果を得られる。手数料やコストを差し引いた後でも、ほとんどの運用機関を上回る成果を上げられるだろう」[1]

私たちが議論や交渉をする時に重要なことは、相手の論旨を慎重に分析することだ。表6-1ではインデックス運用への批判と反論を示している。

インデックス投資にはいくつかの強みがある。特に長期にわたる投資において、段違いの競争力がある。

●**税金** インデックス・ファンドは税金が安い。アクティブ運用ファンドほど頻繁に売買をしないからだ。約5％に対し40～60％以上。故に、高率の税金の対象となる短期的収益がない。

●**手数料** アクティブ・マネジャーの手数料は高額で、しかも成績が悪くても手数料は払わされる。「1円を笑うものは1円に泣く」という言葉もあるように、手数料はばかにならない。

●**コスト** インデックス投資のコストは、アクティブ・マネジャーの運用のコストに比べて格段に安い。

表6-1　インデックス運用への批判と反論

批判の論点	現実的反論
小型株・エマージング株インデックス・ファンドは市場全体を正確に再現できない（トラッキングエラー大）。	小型株やエマージング市場のインデックス・ファンドは銘柄数が多く、一部サンプルで代替するため、誤差が生じる。しかしその誤差はアクティブ運用に比べ、はるかに小さい。
インデックス・ファンドは、大型株が暴落すると、そのウエイトが異常に高まる。	そのとおり。
「市場平均リターン」を狙うパッシブ運用はアメリカらしくなく、つまらない。	平均以上のリターンを狙うと、平均以下のリターンしか得られない。平均リターンを狙う投資家こそが長期的にはアクティブ投資を大きく上回る。
アクティブ・マネジャーは、景気が不透明な時や株価が割高な時に防衛策を取ることで、超過収益を得る可能性がある。	そういう戦略は成功する場合と失敗する場合があり、長期的にならせばその効果はゼロとなることが多い。
アクティブ運用が成果を出せないなら、なくなっているはずだ。	誰もが可能性に賭ける。カジノはいつも満員だ。顧客が信じているのでアクティブ運用はなくならない。
手数料を引いた後ではインデックス・ファンドも市場に負けている。	そのとおりだが、負け幅はごくわずかだ。0.1%の手数料の一部は証券貸付手数料でカバーされる。モーニングスターによれば、過去の成績は将来の参考にならず、手数料の低い投信の成績がよい。インデックス・ファンドの手数料は圧倒的に低い。

●**心の平安**　投資をすれば、誰もが株式市場の上がり下がりが気になる。だが、インデックス投資だと、マネジャーの手法が変わったり、市場に合わなくなったり、買収されたり、資金が集まり過ぎたりして、成績に影響するのではないかなどの心配しなくてすむ。

投資で成功するために適切な資産配分をしよう

もちろん、中にはコストや課税を差し引いた後でもインデックス投資に勝てるアクティブ運用機関も存在する。しかし、それだけ優秀な運用機関があったなら、それはあっという間に噂になっているはずだ。だとすれば、やはりインデックス・ファンドに投資するほうが賢明である。それは「ドリームチーム」の力の結集なのだから。

現実を受け入れることは必ずしも容易ではない。自分の利益に反することや、長年よいと信じてきたことをやめること、また自分と同じ考えの人が多くいる時に、現実を受け入れることは特に難しい。多くのアクティブ・マネジャーがインデックス運用に反対する背景には、こうした事情が潜んでいる。

トーマス・クーンが古典的名著『科学革命の構造』で述べているとおり、ある特定の理論に基づいて自分のキャリアを確立した人が、時代の変化を受け入れるのは難しい。古い信念を新しいものに刷新することは、特に自分の地位や名声、収入を失いかねない場合には困難だ。革新的なことが受け入れられるには時間がかかる。

だがそれでも、インデックス投資は徐々により多くの機関投資家と個人に受け入れられるようになった。また、これまでインデックス投資をしてきた機関投資家や個人も、インデックス投資の割合をゆっくりとではあるが、増やしている。

投資の成功は、明確な運用目的に基づく適切な資産配分から生まれる。インデックス投資を行えば、誰もが次のような最も重要な課題に集中することができる。つまり、どこまでリスクを取るべきか（リスク許容度）を確認し、目標達成のためのポートフォリオを作り、絶えずリバランスし、計画どおりに進んでいるかを検証する、ということだ。

第7章　インデックス投資の強み

優れた戦略家は、競争相手に対し、常に優位に立てる条件を確立しようとする。たとえば、次のようなことだ。

●戦争の際、将軍は高地に陣を構えようとする。
●スポーツ・チームのコーチは、身長が高く、スピードのある選手を欲しがる。身体能力の向上を目指し、チームの「和」を大事にする。
●企業は「ブランド」を確立し、その使用料による収入増大を目指す。
●企業は製造コストを下げるため、特許や当局の許認可、運送コスト、技術開発、消費者の選好などについて、激しく競争する。

いずれの場合も、戦略家たちは長期的な競争優位を目指す。「不当な競争優位だ」と競争相手からは嫌がられるが、これは立派な営業戦略だ。投資において、このような「競争上の優位」を確立し、「市場に勝つ」ための方法が三つある。

第一は、「体力」を駆使する方法である。これはおそらく最もポピュラーな方法だろう。人より早く出社し、夜遅くまで働き、土日にも出勤する。かばんにレポートを詰め込み、たくさんの書類を読む。人一倍多く電話をかけ、多くの会議に出る。体力でマーケットに勝とうとするやり方だ。

第二は、「知力」で勝つ方法である。これを選ぶ投資家は意外に少ない。人よりもじっくり、長期的に考えることで、よりよい投資機会を見つけ出そうとする。

第三は、「感情力」で勝つ方法だ。マーケットがどれだけ上下しても、常に冷静さを保とうとする。実は最も簡単な方法だが、ある意味では非常に難しい。この方法で成功するのは謙虚な人だ。

なぜインデックス投資が優れているのか

要するに、投資で勝ち、また勝ち続けるための最も簡単な方法は、インデックス・ファンドを活用することである。私たちにとって重要なのは、インデックス・ファンドで投資をすると、次のような基本条件を満たす、長期ポートフォリオの策定に専念できるという利点があることだ。

- ●ポートフォリオの目的達成のため、将来の大きな市場変動にも耐えうる適切な水準のリスクを取る
- ●長期期待リターン水準が、一人ひとりの運用目的に合っている

インデックス投資の利点は、投資の決定において無駄な時間と労力を避けられることにある。長期的視野に立ったポートフォリオ戦略に集中できることで、ミスを避けられ、投資目的が達成しやすい。

もちろん、なかには卓越したスキルを持つアクティブ・マネジャーもいるが、その数はそう多くない。しかも、そういうマネジャーを事前に見つけるのは至難の業だ。だからマネジャーを入れ替えても成功する可能性は低く、成功しているアクティブ・マネジャーのほとんどは新規顧客の資金を受け入れない。また、成績の悪いマネジャーをクビにして、過去の成績がよいマネジャーに取り換えても、うまくはいかない。一般に、新規採用したマネジャーの成績は、解約したマネジャーの成績を下回るという実証データがある。

「成功とは、自分が望んだものを得ること」「幸せとは、手に入れられるものを望むこと」という言葉があるように、適切に分散された資産があれば、私たちはお金の心配をせずに幸せに生きられる。本からも多くを学べる。市場は所詮市場であり、人間も所詮人間だ。そこには学ぶべき材料に満ちた多くの歴史がある。

今日の市場環境におけるインデックス・ファンドの優れた利点を、もう一度整理してみよう。

●**相対的に高いリターン**……長期的に見て、全体の90%のアクティブ・マネジャーは市場平均に勝てず、どのマネジャーがトップ10%に属するかを事前に見つけるのは、ほとんど不可能だ。そして長期的には、このトップ10%のマネジャーも勝ち続けられない。それに対し、インデックス・ファンドは長期間ずっとトップの座を占めている。

●**低コスト**……運用報酬と管理費用は、年率で0・1%（一般のアクティブ運用では1〜2%）。コストは年々複利で積み上がるので安い方がいい。

●**税金が安い**……毎年の実現益が少ないから、税金も少なくてすむ。一方、アクティブ運用の場合、税金は平均で資産の1%。これは今日、年約7%のリターンのうちの

15%に相当する。

●**売買コストが低い**……インデックスでは売買が少ないので売買コストが年約10%であるのに対し、アクティブ運用では40%である。

●**「市場に与える影響」が少ない**……売買をあまりしないから。

●**便利**……あまり運用実績を管理する必要がない。

●**判断ミスによる投資の失敗をしないですむ**……タイミングを失することがなく、誤った資産配分戦略やマネジャー選択をしなくてすむ。

●**運用目的、長期投資方針といった最重要課題だけに専念できる**

●**不安や後悔を感じなくてすむ**……相場動向や投資戦略、マネジャー選択といった判断をする必要もなく、特定個別銘柄への投資割合も低いので、致命的なミスをする心配もない。

●**委託先運用機関が買収されたり、社内に問題を抱えていたり、規模が拡大し過ぎて成績が落ちるといったことを心配する必要がない**……多くの運用機関は遅かれ早かれこうした問題に直面することが多い。

このように、期間が長くなればなるほど、インデックスの強みは増す。技術と専門性を持つプロが席巻するようになった今、市場はさらに効率的になるだろう。市場に勝つことはこれからも難しい。

賢い分散投資方法とは

一定リスクでリターンを最大化、あるいは一定リターン目標のもとでリスクを最小化するためには、複数の国に分散投資をする必要がある。シンプルかつベストなインデックス・ファンドは、半分は国内、あとの半分は外国株からなるという事実を知ると、多くの投資家は驚く。分散投資は投資家にとって「濡れ手で粟」だ。

世界の主要マーケットにそれぞれの割合で投資をすると、さらなる分散投資になる。だからこそ、賢明な投資家は、コストをかけずに幅広く分散投資をするインデックス・ファンドか、上場投資信託（ETF）を選ぶ。合理的な人は、全世界型のインデックス・ファンド、またはETFで世界中に投資できると考える。

自国の株式だけに投資することは、無意識に一つの国を他の国々より重視していることになる。イギリス人はイギリス株に、カナダ人はカナダ株に、日本人は日本株にというように、ほとんどの国で、ポートフォリオの大部分を自国証券に投資するという、ホームバイアスが見られる。もしあなたの国がアメリカのように経済規模が大きく、複雑で、またその通貨がドルのように世界中に流通していない限り、これはかなりリスクが高い。

ETFは1993年に始まって以来、急速に規模と種類を拡大し、現在では7600以上のETFがあり、その総額は7・7兆ドルを超える。ただ、このETFの急成長は個人ではなく、ほとんどはリスクを避けて長期投資をしない運用機関やヘッジファンドからの投資だ。ETFの種類の95%と資産の85%はプロ向けに特化したものである。プロの投資家、特にヘッジファンドは、リスク調整のためにこうしたETFを使うが、個人投資家の皆さんは決して手を出してはいけない。

今ではインデックス・ファンドもETFも、世界の株式市場のあらゆる地域ごとに、また割安株・成長株、大型株・小型株など、あらゆる分野を対象として成長してきた。ただし、インデックス自体は必ずしも同じように作られているわけではない。インデックス間の構造の違いは時に大きいことにも注意すべきだ。

ウォーレン・バフェットは、アクティブ運用には次のように大きなコストが伴うと指摘している。

●運用手数料や管理コストなどに350億ドル

●先物やオプションなど、その他諸経費に250億ドル

これに売買手数料も加えると、年間合計1000億ドルの経費がかかっている。この経費はフォーチュン500社の時価総額の1%に達する。その年のフォーチュン500社の利益は合計3340億ドルだったので、時価総額10兆ドルの投資に対するコスト後実質リターンは2・5%にも満たない。バフェットが指摘するように、これはいかにも低すぎる。

投資家のリターンを押し下げている一つの要因は、株式を売買する度に、売買益に課税されることだ。その結果、売買が多いほど実効税率が上昇し、リターンが下がる（投資信託は短期の収益志向が強いため、そのダメージはさらに大きい）。

もし小型株や、新興国株への投資割合を増やしたいなら、インデックス・ファンドやETFを活用するのがよい。ただし、注意すべきは、インデックス・ファンドの議論は米英・日本の大型株市場など、最も効率的な市場で、よりあてはまるものである。市場の厚みや広がり、すなわち効率性に欠ける新興市場を対象として、その市場に近いファンドを作ることは必ずしも容易ではない。言い換えれば、効率性に乏しい市場においては、逆にアクティブ運用が勝つ可能性も出てくるということだ。

運用を少し理論的に見てみよう

WINNING
THE LOSER'S GAME

第8章 リスクと行動経済学

ポゴという欧米でよく知られる空想上の哲学者は、昔こう言ったそうだ。「敵は一人、己自身だ」。この指摘は、とりわけ投資家にとって意味深い。

アダム・スミスのペンネームで評論を書いているジョージ・グッドマンも述べているように、「自分というものをきちんと理解していなければ、投資で成功できるはずはない」。人間は感情的で非合理的な生き物だ。これまで多くの人が犯してきた間違いを避けるには、なぜ間違えるか、どうすれば間違いを避けられるかを知っておく必要がある。

投資成果に対しては、市場、運用機関、投資家自身が責任を持っている（図8-1）。一般に投資家から見ると運用機関が主役、市場の動きの影響も大きく、投資家自身の役割はほとんど考えられていない。しかし、実は最も重要なのは投資家であり、運用機関の役割は最も小さい。

図8-1　投資成果に関する責任

誤った考え方

正しい考え方

また、ほとんどの投資家、運用機関、そして運用広告は、リターンという投資の一面しか見ていない。だが、長期的な運用の成功のためには、リスクのほうがはるかに重要だ。リスクにはさまざまな例がある。

たとえば、マドフやエンロンといった詐欺事件、想定外の事件に巻き込まれて株が暴落したポラロイドやルーセントのようなケース。あるいは、暴落の底値で恐怖にかられた個人が投げてしまう、大天井で投資してしまう、勤務先への忠誠心から自社株に全財産を投資し賢く分散投資をしない、十分に蓄えなかったり投資に失敗したり、長生きしすぎて老後資金が底をついてしまう、などだ。将来取り戻せそうもない多額の損失は、精神的にも経済的にも大きな負担となる。こうした損失こそ本当のリスクだ。

人間は非合理的な生き物である

長年、人間は自分の成し遂げたいことを実現するにはどのようにすればよいかを冷静に判断し、その実現のために最適な手段を冷静に選択するものだと、経済学者は考えていた。しかし、最近の行動経済学によると、このような考え方は現実的ではない。行動経済学者が示すとおり、人間は常に合理的に行動するわけではなく、また、いつも自分のためになることをするわけでもない。たとえば、皆さんも次のような経験をしたことがあるだろう。

- 「平均への回帰」という社会科学の原則を忘れる
- 統計的な確率を無視してしまう（たとえば、勝ちが続くとそれがずっと続くと思い込む）
- 現実を冷静に見つめるのではなく、自分の当初の判断にこだわり、それを正当化する材料ばかり探してしまう
- 都合の悪いことを軽視し、自分に都合のよいように物事を見る
- 「専門家」の意見を過信し、尊敬する人の勧めに従う
- 印象的な出来事や大きなニュースを重視しすぎる

●自分の技術や知識、判断力を過大評価し、失敗しても学ばない（約8割の人は自分を「平均以上」と思い、ほとんどのドライバーは、自分が周りの人より運転がうまいと思っている。また、親は皆、自分の子供は他の子供より出来がよいと思っている）
●最近の投資信託の成績のような短期的結果を過大評価する
●半ば思いつきで選んだデータを、将来的な判断のためのベンチマークとして使ってしまう
●「よく知っている」ことと「よく理解していること」とは違うが、しばしば混同する
●新しい情報に過剰反応する

このような経験は誰にでもあるだろう。人間は決して合理的な生き物ではない。そしてしばしば大きく判断を間違える。投資も例外ではない。人はえてして無意識に行動する。だからこそ、間違いを犯さないように、チェックリストを用意する必要がある。

投資家が避けるべきリスク

「我々自身はそうしたことを起こさないようにしよう」というジョン・F・ケネディの言葉は、すべての投資家にあてはまる。不要なリスクを取って自ら不幸な結果を招いてしま

うことが多いからだ。投資家が避けるべきリスクを次に列挙しよう。

●むやみに頑張りすぎる

●リスクを回避しすぎる（債券や短期資産に偏りすぎる）

●忍耐力の不足……1年で10％上がる投資の1カ月の平均上昇率は1％にも満たない。1日単位の上昇率はほとんどゼロに近い。したがって、毎日の株価の動きを気にしても意味がない。ところが実際には、毎日欠かさず株価をチェックする投資家は少なくない。株価は、四半期に一度見れば十分だ。5～10年に一度以上投資決断を見直していたり、年に一度以上売買判断をしているなら、それは多すぎる。

●投資信託に投資する場合、10年に1回以上入れ替える……投信の入れ替えコストは高い。個人の投資リターン実績は、その投信自体のリターンを大幅に下回る。なぜなら、一般に投資家は、好成績、すなわち基準価格の高い時に投資し、成績不振になると安値で売るからだ（このために利益の3分の1を失っているという研究結果もある）。その結果、辛抱強く持っていれば得られたはずのものを捨てている。

●過大な借り入れ……倒産件数の4分の3は過大債務によって生じる。借り入れは思惑どおりの結果を生むことは少なく、多くの場合、重い足かせになる。

●**単純に楽観的……**ほかの分野はともかく、投資においては、楽観的であるより、客観的で現実的であることのほうがはるかに重要だ。

●**プライドが高い……**投資家が自分の投資能力と投資成果をしばしば過大評価すること は、多くの研究が示すとおりだ。自分に対してさえ間違いを認めず、頑固に自説を曲げようとしない。ことわざに言うように、「株はあなたが持っているとは知らない」。そして、あなたのことなど気にも留めていない。

●**感情的になる……**株価が上がれば笑い、下がれば泣く。株価変動が激しいほど、感情の揺れも激しくなる。

プライドと恐れ、欲望と喜び、心配などの感情は、投資の最大の「敵」である。これらの感情に振り回されていては「ミスター・マーケット」の思うつぼだ。それなのに、ほとんどの人が「ミスター・マーケット」の術中にまんまとはまってしまう。

最大の問題は、市場変動に耐えて株式を長期保存すれば、そのリターンが債券を上回るか、ということではない。投資家が期待リターンを実現できるほど、株式を長期間保有し続けられるか、ということだ。つまり、私たちの問題であって、市場の問題ではない。私たちがどう市場を認識し、それにどう反応するかという問題だ。

図8-2　投資家の集中すべき領域

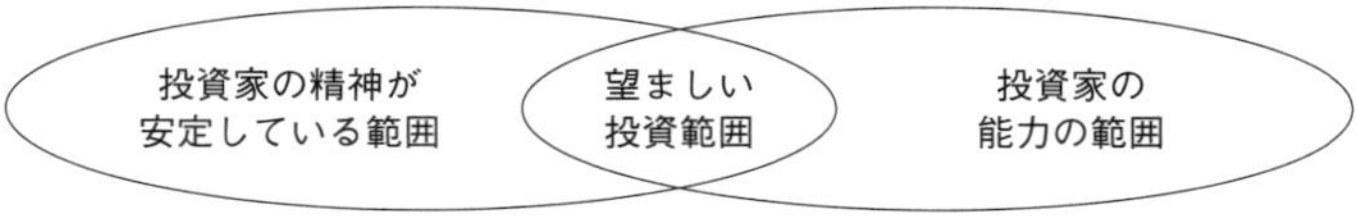

投資家の精神が安定している範囲	望ましい投資範囲	投資家の能力の範囲

だからこそ、ミスター・マーケットに騙されないように、投資と資本市場をきちんと理解しなければならない。自分自身に騙されないように、自らのリスク許容度と運用目的を常に確認する必要がある。投資家としての自分を知り、市場を正しく理解すれば、長期分散投資が自分にふさわしいと思えるようになり、ミスター・マーケットが気にならなくなり、長期的に自分の投資を維持できる。

防御は最大の攻撃なり

投資の成功の秘訣はつまるところ、投資家の知的能力と情緒面の能力によって決まる。

知的能力とは、企業の財務諸表（バランスシート、キャッシュフロー表、損益計算書）の分析能力、情報収集と活用、個別情報を判断資料に統合する能力である。つまり、何百もの企業と株式を学習し、それを使いこなす能力だ。

もう一つの情緒能力とは、市場の暴騰・暴落といった極端な場面でも冷静さを保ち、合理的判断ができる自己抑制能力である。

誰しも、得意分野と「冷静を保てる領域」が存在する。「己を知る」とは、自分の強みと弱みを知ることであり、この二つの範囲の内側にとどまることを意味する。右の図の二つの円が重なるところが自分のスイートスポットであり、この部分に集中すべきだ（図8-2）。

自分の能力では手に負えないことに手を出すと、市場の荒波に引きずり込まれ、損害を被る恐れがある。心穏やかにいられる範囲を超えてしまうと、感情を抑えられなくなり、それはあなたの投資にも決してよい影響をもたらさない。

防御は最大の攻撃である。投資においては高いリターンを求めることより、リスクを最小限にとどめることのほうが重要だ。あなたの大切なお金を守るために、最も得意な分野で、かつ冷静な判断を下せる範囲内で常に投資をしなければならない。

第9章　運用につきまとう矛盾

資産運用の世界は矛盾だらけだ。たとえば、非常に長期的な目標を持ったファンドが、価値ある長期目的のためでなく、つまらない短期目的で運用されている。成算はほとんどない。運用機関の大多数が、「市場に勝つ」という無意味で難しい試みに、多くの時間を費やしている。

第2章で紹介したスキーの話を覚えているだろうか。多くのスキー場では初心者コースから上級者コースまで、ゲレンデが分かれており、スキーヤーは自分の腕に合ったコースを選択できる。初心者が間違って上級コースに行くと大変だが、年間100日をゲレンデで過ごすようなしなやかな体の17歳の若者なら、超難関コースを軽々と滑れるだろう。実力に合ったコースを選べば、皆が楽しめる。

自分に合った投資ポートフォリオを作ろう

運用も同じだ。自分の状況に合った投資ポートフォリオを選択すると、満足できる。人はそれぞれ次の面において違う。

- 年齢
- 資産規模
- 収入
- 時間軸
- 果たすべき責任
- 投資経験と専門知識
- リスク許容度
- 遺産の有無
- 社会貢献への関心

指紋やＤＮＡ、目の色が皆違うように、適切な投資政策も人によって異なる。投資で成功するには、自分の状況に合ったポートフォリオを作る必要がある。

市場でよりよい成績をあげようとするのではなく、適切な運用基本方針、つまり市場の長期的な上昇力をうまくとらえるようなポートフォリオを策定し、かつ、それを軽々しく変更しないところから成功は得られる。長期展望と明確な目的を持った投資家が、現実的かつ十分な情報のもとで作成した運用方法こそが、長期投資の基礎となる。

しかし実際には、そのような運用方針を立てられる人はごくわずかだ。したがって、多くの運用機関は投資家の本当の目的を知らないまま、あるいは、なすべきことに関する実質的合意がないままに、ポートフォリオ運用をしている。これは顧客の責任だ。

また、運用能力よりも運用方針に関する助言を受けるほうが大切だが、多くの人は適切な長期運用方針を策定せず、大切なアドバイスを受けようとしない。ファイナンシャル・アドバイザーの料金は、費用対効果を考えると決して高くはない。

適切な投資政策を選択し、実行できるのは本人だけだ。要は自分のお金なのだから。個人の資産や投資の全体像は本人にしかわからない。今後どのくらいの収入を得て、どのくらい貯蓄できそうか？　子供の教育費はいつ頃、どのくらいかかりそうか？　市場変化のプレッシャーにどこまで耐えられるか？　退職するのはいつか？　こうしたことを知っているのはあなただけだ。市場が高騰したり暴落するような場合は、特にそうだ。投資をするには、自分はどういう人間で、何を望むのかをはっきりさせる必要がある。

運用機関に伝えるべき六つのポイント

次に、運用機関に事前に伝えるべき、六つの課題を整理しよう。

第一に、当初の想定と逆の運用結果が生じた時の具体的なリスクとは何か、という点だ。特に、短期的に受け入れられないリスクは、決して負ってはならない。たとえば、大学の授業料のための貯蓄を全額株式に投資するというのは良識ある行動とは言えない。相場が下落したら授業料が払えなくなるかもしれない（教育は一番の長期投資だが、学費は締め切りまでに支払わなければならない）。また、住宅購入のために貯めた資金を、購入予定の2、3年前に株式に投資するのも理に合わない。

第二は、逆境に直面した時、あなたはどのように感じ、行動したか、という点だ。それを思い出して運用機関に伝えておいたほうがいい。自分の能力以上のリスクは取ってはならない。今以上に一定範囲のリスクを取ろうとする場合は、そこから生じるプラスとマイナス、取らなかった場合のプラスとマイナスを総合的かつ慎重に検討することが大切だ。

第三は、運用および市場について自分がどれほどの知識を持っているか、ということだ。運用は、素人にとって常に「納得できる」とは限らない。時には直感と正反対のこと向がある。

がある。個人投資家は、下げ相場では慎重になりすぎ、上げ相場では強気になりすぎる傾向がある。

2020年のコロナ騒動や2008年秋の大暴落時、あなたはどのように行動しただろうか。自分が決めたとおりに行動できたか、それともある程度の株を売ってしまっただろうか？　この対策としては、図書館に行って、1929年秋、1987年秋、ITバブル時代、2008年の大暴落といった時期の新聞を、じっくり読んでみることだ。嵐の真っただ中で人間がどのように感じ、行動するかを知っていれば、次の嵐が起きた時も落ち着いていられるだろう。投資環境についてよく知る投資家は、何を期待すべきかについても熟知しており、知識の乏しい人が有頂天になったり落ち込んだりするような状況に遭遇しても、冷静に対処することができる。

第四は、他にどんな資産あるいは収入源を持っているか、また、対象ポートフォリオがその資産全体の中でどれほど重要なものかということだ。

第五は、運用方針に何らかの法的制約があるかどうかである。多くの個人信託基金は、細かい制約が多い。財団基金もさまざまな制約を受けているが、収入や支出に関するものについては特に注意すべきだ。

第六は、ポートフォリオ価値の短期的変動による資金不足が、運用方針に影響するような事情があるかどうかだ。市場が乱高下した時に、長期的視野を保ち続けることがいかに困難かは、言うまでもないだろう。

自分の状況や目的を掘り下げて理解することが、運用方針を決める上での重要な基礎となる。だが、こうした基本的な責任を自覚し、それをきちんと引き受けられている人はほとんどいない。だから、長期的に運用すべきところで短期的要因に影響されてしまうというような、これまで述べてきた矛盾が存在し続けるのだ。

運用方針は本来顧客の責任であるが、適切な運用方針の作成を個人に期待することは難しい。また、運用機関が、市場急変時に顧客に最初に示した運用方針を貫こうとしても、顧客の賛同を得られにくいという基本的な矛盾もある。こうした運用にまつわる矛盾を解決するために、自分の運用目的と資産状況を再確認し、運用方針を再検討するとよい。

第10章

「時間」が教える投資の魅力

「必要な長さの梃子と、私が立つ場所があれば、この地球を動かしてみせる」と言ったアルキメデスの有名な言葉は、誰もが知るところだろう。運用における梃子の役割を担うのは「時間」だ（そして、立つ場所とはもちろん、確固とした現実的な運用方針である）。運用期間の長さ、すなわち運用成果の評価期間の長さは、どんな運用プログラムにおいてもきわめて重要だ。適切な資産配分策定のカギとなるからだ。

「時間」は運用を良くも悪くも大きく変える。なぜなら、平均収益率自体は時間によって少しも変わるものではないが、3年平均や5年平均といった個々の平均値の振れ幅は、時間の影響を強く受けるからだ。十分な時間が与えられれば、一見、魅力的とは思えない運用も意味あるものになる。

運用期間が長ければ長いほど、ポートフォリオ全体の収益率は平均収益率に近づく。反対に、個別証券の収益率の差は、期間が長くなるほど広がっていく。その結果、投資家は、運用の種類、状況、目的など、一番よい組み合わせを選択することができる。

もし期間が短いなら、最高の収益率を求めるリスクの高い運用は適切でなく、短期で投資をしようと思うなら、そのような運用はしないことだ。しかし運用期間が十分長ければ、短期では大きなリスクと見える運用手法を、不安なく取り入れることができる。

リスクと収益率のトレードオフ

収益率とその変動幅の計算に用いられる一般的な期間は、1年だ。便宜的に広く用いられているこの12カ月という期間は、制約と目的が人によってさまざまなので、必ずしも誰にでも適切だとは言えない。2、3カ月で引きあげてしまう人もいれば、何十年も持ち続ける人もいる。本当に重要なのは、投資期間の違いである。それがいかに重要かを示すために、1日の投資における普通株の期待収益率を例にとって、時間の効果に注目してみよう。

典型的な例として、ある銘柄の株が40ドルで、1日の価格変動の範囲は39・25ドルから40・50ドルの間の1・25ドル、その日の平均価格の3・1%とする。過去10年における普通株の平均年間収益率は大体8%である。この株に投資すると、1日当たりの（平均）期待収益率は0・032%（年間収益率8%÷250営業日）で、実際の売買価格は想定価格の上下それぞれ1・55%（1日の変動範囲3・1%÷2）の範囲にあったと仮定できる。

この1日当たりの収益率0・032%と1日の変動幅3・1%を年率換算してみよう。年間平均期待収益率は8%となるが、その収益率の変動幅はプラスマイナス387・5%という恐ろしい数字となる（すなわち、このケーススタディの株式の年間平均収益率は395・5%の利益と379・5%の損失の間のどこかとなる）。

もちろん、良識ある人は、1日、1カ月、あるいは1年でも普通株に投資するようなことはしない。これでは普通株に投資するにはあまりに短すぎる。なぜなら、予想される収益率の変動幅が、先の例のように、平均期待収益率に比べて大きすぎるからだ。普通株への投資は不確実性が大きく、その収益の大きさや安定性はバランスを欠いている。普通株の短期保有は投資ではなく、投機でしかない。

一方、こうした年間平均期待収益率をそのまま1日の投資にあてはめるというばかげた説明の真意は、測定期間が変わると投資家の満足度がどう変わるかを検証するためにある。こうした検証から、なぜ超長期の投資をする人は普通株に全額投資するのがよく、短期投資をする人は短期財務省証券やマネーマーケット・ファンドだけに投資するのが賢明なのか、その理由がわかる。また、中期投資家が投資期間を延ばすにつれ、短期資産から

図10-1　インフレ調整後の株式、債券、キャッシュの収益率変動幅

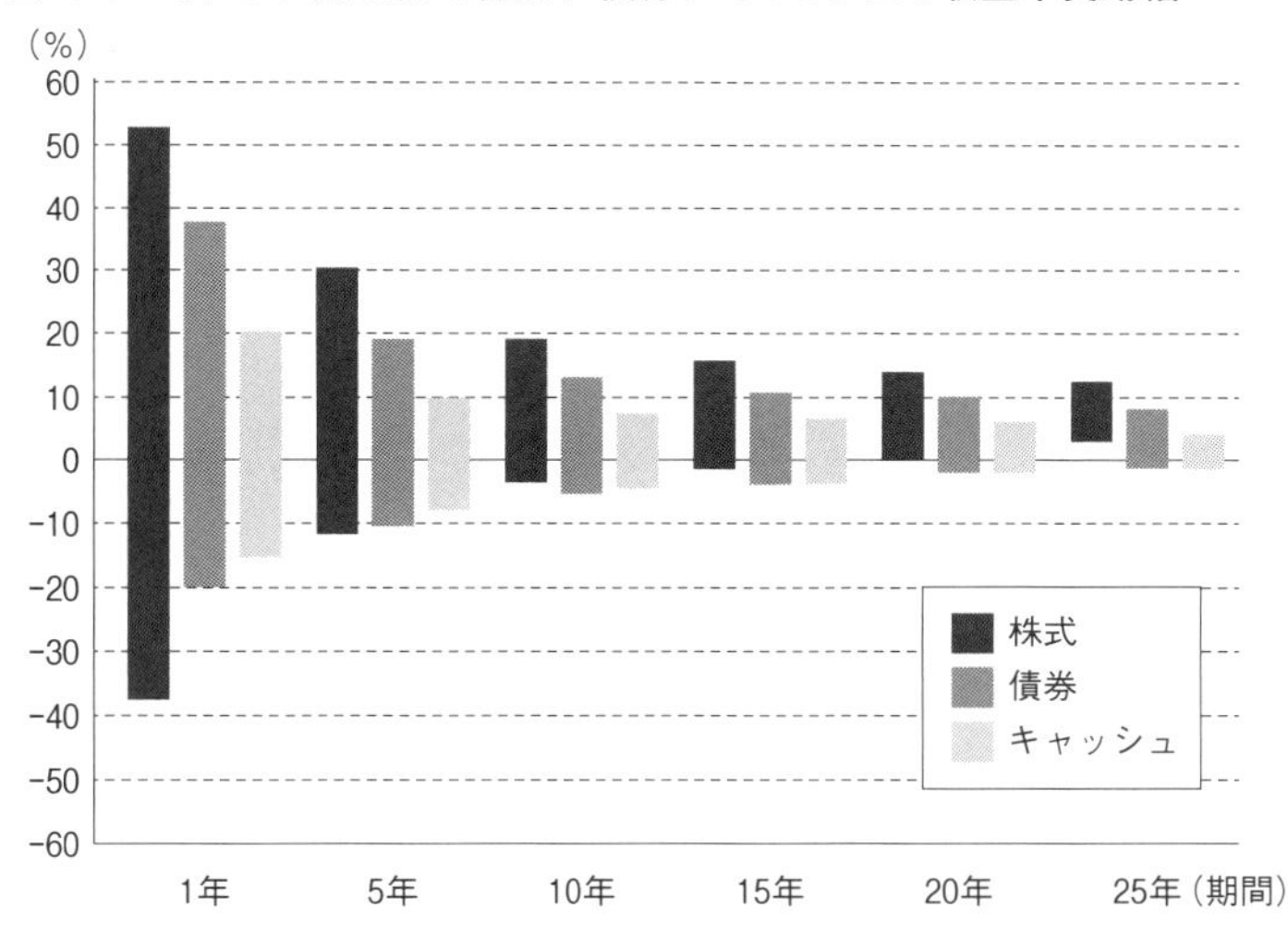

債券へ、さらに株式へと、投資の割合を変える理由もわかる。

平均期待収益率が、期間の長さとは無関係にほぼ一定であるにもかかわらず、投資期間が実際の収益率の分布に対して大きな影響を及ぼすことは、図10－1を見ても明らかだ。

まず1年間の収益率を見ると、その数字は大小さまざまで、全くばらばらだ。最高リターンは53・4％となり、最悪では37・3％の損失となる。このように広く分散した年間実績値から平均収益率を出したとしても、あまり意味がない。

5年の期間で見ると、多少の規則性が出てくる。損失期間が少なく

なり、利益期間がずっと多くなる。測定期間が長くなるにつれ、1年だけの場合に比べて、個々の年間収益率の違いが互いに打ち消され、平均収益率に近づいていくからだ。

10年になると、収益率の規則性はさらに増してくる。ほとんどの年間平均収益率が5%から15%の範囲に入る。さらに10年間の複利で計算した年間平均収益率は、1年だけの収益率では平均収益として意味がなかったのに対し、大きな意味を持つようになる。

20年になると、実際の収益率にますます多くの規則性が見られる。利益率は、長期期待平均収益率の近くに集まってくる。

長期思考で高リターンを目指せ

ものごとを統計的に分析するうえで、連続的な実績値から導き出されたサンプルであるということが、データの意味を理解するにはきわめて重要である。たとえば、ニューイングランドの天気をとってみても、非常に寒い日か汗ばむような暑い日かは、個々には予測不能に見えても、長期間で見ると、そうした日が必ずあることがわかる。同様に、運用においても、我慢強く観察していると、一見無関係な年ごと、月ごと、あるいは1日ごとの結果が、全くでたらめに現れるのではなく、長期間ではかなり予測可能なパターンに従っていることがわかる。

天気も運用も、多くのサンプルを取れば、その一般的なパターンを理解できるようになる。そうすれば、長期間の一般的なパターンを利用するにはどうすればいいかを予想することができるし、短期的に混乱させられるような恐ろしい日々の出来事に直面しても、途方に暮れなくてすむようになる。

運用方針の中で最も重要な要素は、資産配分、特に株式と債券の配分比率だ。最近の調査では、リスクと収益率とのトレードオフは、「時間」の取り方に強く影響されることが示されている。だが多くの場合、特定のファンドのための時間は考慮されず、5年という一般的な基準が用いられている。株式・債券比率は、5年の場合は60対40、10年では80対20、15年では90対10が標準とされる。

しかし残念なことに、実際にはいずれの期間も、家族の将来のために運用する多くの人にとっては、正しいとは言えない。30~50年またはそれ以上の運用期間を考えると、5~10年というこの想定期間はあまりにも短い。ほとんどの個人や機関投資家はこの先30年以上は生き続け、投資し続けるからである。長期的思考ができるようになれば、投資手法も変わり、長期リターンも必ず高まっていくだろう。

第11章 収益率の特徴と中身

よく知られているように、運用収益は二つの異なる要素からなる。一つは、利息や配当から得られる予測可能な収入（インカム・ゲイン）、そしてもう一つは、特に短期的に予測不能な市場価格変動に伴う利益または損失（キャピタル・ゲインまたはロス）である。多くの人が値上がり益を増やすために、多くの時間をかけて工夫をこらす。これは大きな間違いである。

市場価格の変化は、アクティブに投資をする人たちのコンセンサスの変化によって生じる。こうしたコンセンサスは、投資収益機会を探す何千という機関投資家や一般の人たちによって決定される。ファンド・マネジャーやアナリストは時間と技術をフル回転させ、経済や企業情報を分析し、市場の価格変化を利用し、他の人を出し抜いてリターンを得ようとする。これは決して簡単なことではない。

分析の対象はこうした「合理的」な世界だけではない。経済や企業分析だけでなく、人の行動、投資家心理、消費者心理、一般大衆の思い込み、政治動向、市場センチメントなどの「非合理的」な要素も研究する。なぜなら、市場および市場価格は、短期的には非常に人間臭く、非合理的なものだからだ。

とはいえ、投資家の認識や解釈のすべてが正しいわけではない。振り返ってみると、その多くは間違っているようだ。強い意志と高い専門性を持ち、適正価格を求めて行動する何千というファンド・マネジャーに打ち勝つのは容易なことではない。

今日のようなダイナミックな市場での証券運用は、より広範な知識、より賢明な解釈、よりよいタイミングがもたらす比較優位を求めて、多くの野心的で優秀な相手に競争を挑むことになる。それは世界で最も自由で競争の激しい市場における素晴らしい闘いだが、同時に、厳しさと魅力、苦痛と希望、ストレスと幸福感に苛(さいな)まれる競争でもある。

ほとんどの運用機関と個人にとって、こうした投資行動は、実は重要ではない。それは運用機関が有能でないからではなく、競争相手のほとんどが同じように有能で、多くの情報と装備を持ち、常に努力を怠らないからだ。

普通株の評価を決めるのは何か

さて、普通株の価格評価はなかなか複雑に見えるものの、主として二つの要素によって決まると言ってよい。一つは、将来のある時点で企業収益と配当金額がどうなるかについての投資家のコンセンサス。もう一つは、将来の予想利益から現在価値を逆算する割引率（複利利率）についての投資家のコンセンサスだ。

将来の企業収益と配当の予想をするうえで、商品需要の伸びや、その循環に対する予想の変化、価格や税率、新しい発見や発明、国内および海外との競争の変化などを考慮するが、それは投資家によっても時期によっても異なる。さらに時間の経過とともに、適切と考えられた割引率も多くの要因で変わってくる。

その中で最も重要なのは、投資リスクと予想インフレ率である。他人がどう行動するかを予想し、その予想をまた他の人たちが行うといった行動が永遠に続く。そしてその予想が人に行動の変化をもたらす。企業収益と配当の予想、およびその割引率についての推定が遠い将来にまでわたればわたるほど、それらの現在価値に対する考えが変わり、日々の株価の動きが大きくなる。

長期投資において大切なことは、現時点で大多数の人が遠い将来をどう予想するかではなく、将来の時点で大多数の人がどう考えるかということである。投資家の株式保有期間が長くなるにつれ、企業収益と配当実績の影響が大きくなり、割引率の重要性は小さくなる。超長期にわたり保有すると、現在の株価の意味は小さくなり、収益や配当が大きな意味を持つ。短期投資では、日々または毎月の市場変化と投資家心理が重要になってくる。長期投資では驚くことは何もないが、短期投資では毎日目まぐるしく変わる天気のように、驚かされることが多い。

長期投資を行う専門家は経験から、経済活動や株式市場におけるデータの、正規分布と「平均への回帰」という確率の法則を理解している。この現象は自然界においても見られるところだ。たとえば、ベテランのヨットマンなら航行中、船が傾けば傾くほど復元力が強く働くことを知っている。

運用の専門家は将来の相場予測に力を注ぐ。その手がかりの一つは、長期金利と企業収益予測だ。両者の将来の変動幅を、過去の上限・下限の間に求め、「平均への回帰」という傾向をもとに予想する。ここで注意すべきは、一般的に私たちは、上げ相場ではさらに上昇を見込み、下げ相場ではさらなる下落の力が働くと考えがちであることだ。この傾向を常に意識しておく必要がある。

投資収益率の三つの特徴

投資収益率の歴史を見ると、次の三つの特徴が見出せる。

●平均収益率を見ると、普通株は債券より高く、債券は短期資産より高い。

●1日ないし月ごと、または年ごとの収益率の変動幅を見ると、普通株は債券より大きく、債券は短期資産より大きい。

●ある一定期間の収益率の変動幅は、測定期間が短くなると広がり、長くなると縮小する。つまり、平均収益率は長期的には平準化した値になる。

毎日の、また月ごとや年ごとのリターンに法則性は見られないが、全くないわけではない。ミスター・マーケットの放埓（ほうらつ）な動きの陰には、平均への回帰という明らかな傾向があるからだ。だからこそ、運用機関は、統計を使って収益率を説明しようとする。平均とか正規分布、あるいは異常事態発生率の指標としての二標準偏差というような統計上の有用な概念が、具体的に何を意味するのかを十分に学び、理解しなければならない。

さらに、「平均値」の周りに実際の収益率が分布することを説明するのも重要だが、平均収益率の中身を分析することも重要だ。

平均収益率は次の三つの主要部分からなる。

- リスクがなくても最低必要とする収益率、すなわち無リスク収益率
- 無リスク収益率に対して、インフレによる購買力の予想減価分を相殺するために必要なプレミアム（割り増し分）
- インフレ調整後の無リスク収益率に対して、投資家にマーケット・リスクを引き受けさせるために必要なリスク・プレミアム

収益率をここで述べた三つに分解することにより、株式、債券、短期財務省証券の収益率を比較検討することができる。短期財務省証券は、インフレ調整前の名目値ではほとんどの期間で利益をあげ、安全に見える。しかし、インフレ調整後で利益をあげている期間は60％以下だ。さらに驚くべきことに、長期年間平均収益率はほぼゼロになっている。

言い換えれば、短期財務省証券はインフレによる目減りを単に補うだけのものであり、投資したお金がそのまま戻ってきたにすぎない。実質収益率はほぼゼロだ（図11－1）。

図11-1　株、債券、現金の長期名目複利利回り

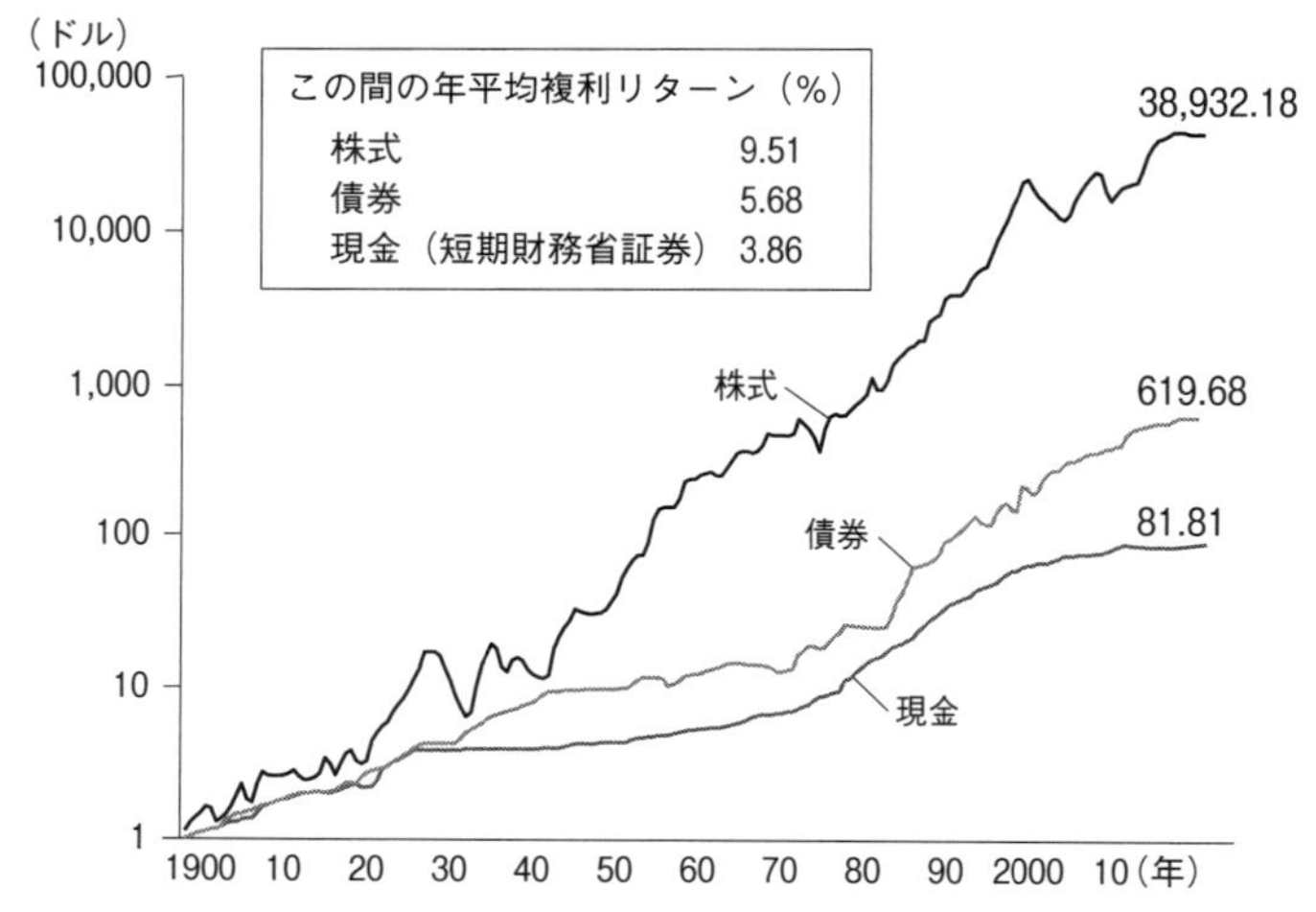

期間：1900年1月1日～2016年4月30日
出所：BofA Merrill Lynch; Citigroup Global Markets; Common-Stocks Indexes (Cowles Commission); Global Financial Data, Inc.; Standard & Poor's; and Thomson Reuters Datastream.

長期債は、インフレ調整後でより高い収益率を生み出す。それには二つの理由がある。一つは、事業債の場合には元本が回収できないというデフォルト・リスクがあること。もう一つは、事業債も国債も金利変動によるリスクにさらされるため、それを補償するだけの高い収益率が必要であるからだ。

そこで長期債の利子率、すなわち長期保有リスクに対するプレミアムが求められる。そのプレミアムは0・9～1・1%と推計され、また信用度の高い事業債のデフォルト・リスクのプレミアムは0・5％と推計される。無リスクの収益率にこれら二つのプレミアムを加えると、インフレ調整後の年間平均実質収益率は長期国債で2・0％、長期事業債で約3％となる。

利息と満期時の元本償還が保証されている債券と比べて、普通株のリターンが高いのは当然だろう。株式は、そうした保証がないというリスクをカバーするためのリスク・プレミアム分だけ、名目リターンが高い。そのインフレ調整後の実質期待収益率は約5％となる。インフレ調整後で、長期間で見ると、投資収益率（すなわち投資家が必要とする収益率）が、実は一定であるという点が明確だ。この一貫性は、次の二つの要素からもたらされる。

- 投資家は、より高いマーケット・リスクを受け入れる代償として、無リスクより一定の高い収益率を要求し続ける
- 収益率の測定期間が長くなるほど、割引率の変化による収益の短期変動の影響は小さくなり、安定的な長期予想配当のほうが重要となる

ここで重要な点は、投資収益率に関する完全かつ正確なデータは必要なく、また望むべくもないということだ。せいぜい期待できるのは、さまざまな外生変数に左右される複雑

なプロセスからサンプリングして、「正しいと思われる」データをつかむことぐらいだ。それでも収益率が現実にどうであったか、また今後どうなりそうか、有効な近似値を推測することはできる。長期の運用基本方針を確立するうえで、それは絶対に必要なことだ。

チャンスと思える投資機会に出合ったら

投資収益率に関する次の二つの重要な点も指摘しておきたい。

第一は、予想インフレ率の変化が収益率に及ぼす影響は非常に大きく、特に満期のない普通株に対して大きいということだ。1960年の約2%から1980年の10%までの予想インフレ率の変化によって、（他の要因とともに）普通株に必要な名目平均収益率はその間8%から17%まで上昇したが、これは株価の大幅な下落をもたらした。その大底から見れば、その後のリターンは、インフレ調整後でも株式投資を正当化できる水準になった。それにしてもインフレ調整後で見た時、この間の投資家の損失は50年間で最悪だった。予想インフレ率が低下すれば、その後の20年間の上昇相場に見られるように、逆の効果が生じる。

第二は、短期では小さく見える収益率の差も、複利・長期で見ると非常に大きな差になってくることだ。表11－1は、期間別複利計算における1ドル当たりの投資効果を示した

表11-1　投資期間別の複利の効果

利益（複利）	投資期間 5年	10年	20年
4%	1.22ドル	1.48ドル	2.19ドル
6	1.34	1.79	2.65
8	1.47	2.16	4.66
10	1.61	2.59	6.73
12	1.76	3.11	9.65
14	1.93	3.71	13.74
16	2.10	4.41	19.46
18	2.29	5.23	27.39
20	2.49	6.19	38.34

ものである。これは、時間が加速度的に大きな力を発揮することを示している。

第10章の図10-1をもう一度見ていただきたい。25年間のリターンを見ると、インフレ調整後の実質収益率は、株は年平均6・6%、債券は1・8%だ。

20世紀最後の25年間の名目リターンは長期平均レートを大きく上回るものだったが、それも2008年の暴落で平均化された。

「平均」の意味するところについても、十分理解しなければならない。たとえば、株のリターンが年平均10%という時、過去75年間で株が10%のリターンをもたらしたのはたった一度、1968年だけである。10％近くの水準だったのもたった3回だ。だからこそ投資家は、上げ相場の時と下げ相場の時を平均して対応しなければならない。これはなかなか難しい。

もちろん、現実には「ひとやま」当てたいと思わない投資家はほとんどいない。しかし、化学者のパスツールも述べているように、「運を引き寄せるには準備が必要だ」。そもそも、チャンスというのはそれほど転がっているものではない。私は投資の世界で50年間生きてきたが、本当に大きなチャンスにはこれまで二度しかめぐり合ったことがない。25年に一度の計算だ。

では、本当にチャンスだと思える投資機会を見つけたら、どうすべきか。そんな時は、次の四つの点に留意する必要がある。

① すべてうまくいったとすればどのような成果が期待できるか？　それが実際に起きる可能性はどのくらいか？

② 最悪の場合、どのようなシナリオが想定されるか？　それが現実のものとなる可能性はどのくらいか？

③ ポートフォリオの大部分をそのチャンスに投じられるくらい、自分の判断に自信は

あるか？

④その銘柄が下がった場合にも、もっと買うか？

第12章 リスクが収益を生み出す

「リスク」は単純な言葉だが、使う人によって大きく意味が異なる。まず、リスクは不確実性とは異なる概念である。一般にリスクとは、特定の事象が起こる確率が知られている時に予想される必要支払額を指す。そのわかりやすい例が、年金数理上の死亡率表であろう。年金数理人は、14年後に特定のAさんの生死を予測することはできないが、1億人単位の集団の毎年の死亡率を比較的正確に予測することはできる。

だが、「リスキー」という言葉は、運用においては「不確実性」と近い意味で用いられる。学者の言う「ベータ」(市場と比較した相対的変動性)や「市場リスク」といった概念も、この意味で使われる。つまり、残念ながら彼らでさえ、リスクという言葉を正確には使っていない。

リスクは市場サイドにも、投資家サイドにも存在する。市場リスクは、時がたつにつれて解消される。一方、投資家にとってのリスクとは、株価上昇時には気が大きくなり過ぎ、下落時にはパニックに陥り、あとで取り返しのつかない行動をとってしまうことだ。長期的にはリターンの変動が大きいほど平均リターンは高いことを理解し、短期的な相場変動についていては静観して、行動を起こさないこと。だが、多くの人はこれができない。

アクティブ投資家は、投資リスクを次の四つのタイプに分けて考える。

●**価格リスク**……株式をあまりに高い価格で買えば損失を被る。もし株価が高いと考えるならば、価格リスクを負っているということだ。

●**金利リスク**……金利が現在の期待インフレ率の変化に対応して、現在の予想より上昇するならば、株価は下がるだろう。つまり金利リスクを負っているということだ。

●**事業リスク**……会社の業績不振により、利益が期待するほど増えないかもしれない。となると、株価は下がる。それは事業リスクを負っていることになる。

●**倒産リスク**……ペン・セントラル、エンロン、ワールド・コム、ポラロイドなどで起こったことである。昔からプロが、「リスクに気をつけろと言っただろう」というように使っているが、だからこそ分散投資が必要となる。

リスクの本質的な意味は単純だ。資金が本当に必要な時に、手元に存在しないこと。砂漠でガソリンがなくなったような状態だ。人生の終盤で働けなくなった時にお金がなくなることこそが、一般の人にとっては最大のリスクと言えよう。

三つのリスク

リスクを見る別の方法は、過去50年間の科学的研究から生まれている。他にあまり有効な手法がないという理由で、運用機関や投資家にますます利用されるようになりつつあるものだ。その概念は次のとおりである。

リスクには三種類ある。一つは市場リスク。これは避けられないものだが、うまくいくと利益が出る。他の二つのリスクは、分散投資することで回避したり、軽減したり、全くなくすこともできる。したがって、引き受けたとしても報われることはない。この二つのリスクは相互に関連している。一つは、個々の証券に結びついたリスクであり、もう一つは、特定の証券グループに共通するリスクだ。前者は個別銘柄リスクと呼ばれ、後者は株式グループリスクと呼ばれる。

株式グループリスクについて理解するために、いくつかわかりやすい例を挙げてみよう。成長株をグループとして見ると、投資家の成長株への確信の度合いと、どの程度長期的に見るかという期間の変化によって、価格が上下する（投資家が確信を持っていれば、成長株の評価に際して遠い将来の成長性まで見ようとする）。公益事業株や銀行株のように金利に敏感な証券は、利子率の変化の影響を受ける。全産業に対する予想変化と、自動車、小売り、コンピュータなどの株価は同じような値動きになる。一つの株式は輸出関連株や金利敏感株など、いくつかのグループに入ることが多い。株式グループリスクを考える時は細かいことには目をつぶり、金利、為替など主要な何点かのポイントに絞るといい。

実際のところ、株式グループリスクと個別銘柄リスクの両方における重要な事実は、投資家はそれを必ずしも受け入れる必要はないということだ。市場全体のリスクと異なり、特定のマーケットや特定の証券への投資リスクは、分散させることで解消する。

だからこそ、効率的な市場では、個別銘柄や特定株式グループのリスクをより多く取ったからといって、市場全体の収益率を上回る超過収益は得られない。いずれのリスクも、本当に価値ある収益を確保できる時にのみ負うべきものだ。誘惑には駆られるが、そうした冒険は十分に報われていないというのが、これまでの動かしがたい実証の結果なのである。

個別銘柄リスク、あるいは株式グループリスクを取っても報われない、という事実を知

図12-1　分散投資によるマーケット以外のリスクの減少

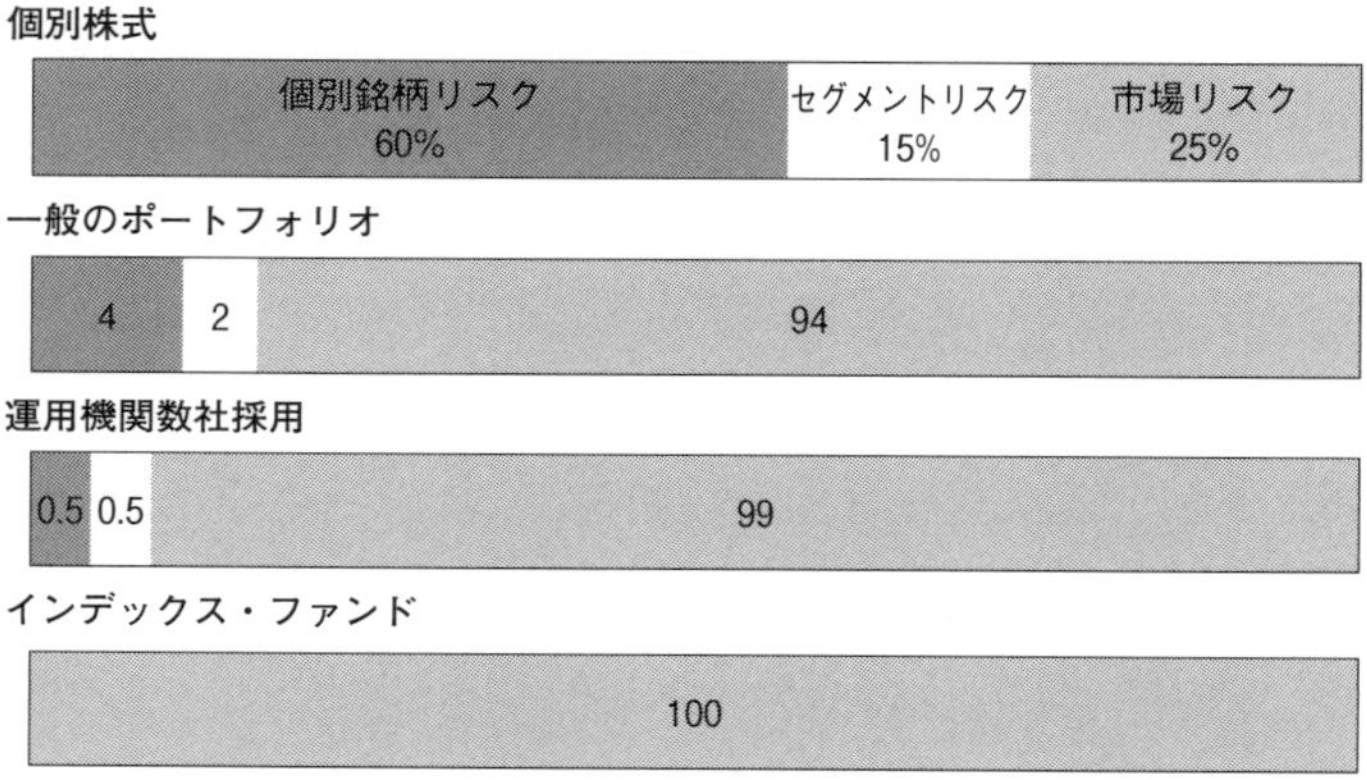

個別株式

個別銘柄リスク 60%	セグメントリスク 15%	市場リスク 25%

一般のポートフォリオ

4	2	94

運用機関数社採用

0.5	0.5	99

インデックス・ファンド

100

っておくことは重要である。第4章で説明したように、これらのリスクを取る運用機関は、競争相手がミスを犯した時にしか利益をあげることはできない。

このようなリスクは、市場そのものを複製したインデックス・ファンドに投資することで回避できる。すなわち、ポートフォリオ構成上も、また市場全体に対する相対的収益率でも、市場と同等の、つまり株式グループリスクも個別銘柄リスクも取らない簡単で便利な戦略をとればよい。市場全体の複製ポートフォリオであるインデックス・ファンドの大きな利点は、株式グループや個別銘柄のリスクが分散されていて、便利で安上がりな運用方法であることだ。

しかし、これら二つの特定リスクを取り除

いたからといって、すべてのリスクがなくなったことにはならない点に注意してほしい。市場全体のリスクは常に存在するし、リスクの点から見ると、これはとても大きい。図12－1では、個別銘柄のリスクは、主にその証券固有のリスクと市場セグメントリスクからなるが、典型的なポートフォリオでは、この二種類のリスクが全リスクのごく一部に軽減されることが示されている。

さらに、数社の運用機関を利用している場合、リスク分散によって個別銘柄リスクやセグメントリスクがさらに大幅に低下していることを示している。国際的なインデックス投資をしている人はさらなる分散投資になる。

超長期投資家にとっての市場リスクの最適水準は、平均水準よりやや上のリスクを取ることだ。なぜなら、現実には多くの人は超長期の投資ができないからだ。子供の教育や住宅取得など、さまざまな計画のために早めにやめたり、また長期の株式投資にありがちな予期せざる株価変動に振り回されることもある。こうした人たちは、より低いリスクと変動を望み、そのために多少利益が減っても仕方がないと思うのだろう。

すでに述べたように、株式投資の収益率は、次の四つの構成要素からなる。

① インフレによる目減り調整後の無リスク資産（短期国債など）の収益率（現金から無リスク資産に投資するために必要な収益率）

② 株式市場全体のリスクや価格変動を補償するのに必要な追加収益率

③ 経済上・ビジネス上ないし市場心理上のさまざまな理由で、市場全体と異なった動きをする特定の株式グループや市場セグメントへの投資からの潜在的な追加収益率

④ 同じ理由による特定株式への投資からの潜在的な追加収益率

これらのリターンを生み出す要因として、4種類のリスク項目が存在するわけだ。

市場リスクをいかに管理するか

以上のことから、長期資産運用における決定的な要素とは、収益率をいかに管理するかではなく、市場リスクをいかに管理するかであることがわかる。それと同時に、市場リスクを管理するということは、次の二つを同時に実行することである。

① ポートフォリオ戦略の基本方針としての市場リスク水準の選択

② 市場環境いかんにかかわらず、その水準の維持

市場リスク水準の変更は、長期運用目的が変更された時にのみ、なされるべきである。それぞれの人や機関投資家に合った市場リスクの管理こそが、資産運用の最も重要なポイントである。

証券ポートフォリオの収益の源泉は三つある。それを重要な順に述べると、第一に自分で決めた市場リスクに対応した投資収益、第二にそれを維持することで得られるもの、第三に特定株式ないし株式グループのリスクを分散させることにより生じるもの（現在ではこの収益を得ることは難しくなっているが、分散によってリスクを回避できる）。

リスクのように見えるものが真のリスクかどうかは、投資期間によって決まる。たしかに短期的には株式のリスクは高いことが多い。しかし、特に過熱相場の時から始めない限り、十分に長い時間をかけて投資を行えば株式のリスクは低下し、時とともに株式の長期平均リターンに近づくものだ。もし、相場が低いかどうか自信を持てないなら、一定金額を一定期間おいて投資する手法をとればよい。

このように、投資家にとってのリスクは、「時間」という尺度によって、短期リスクと長期リスクに大別できる。短期における最大のリスクは、たまたま株式市場の低迷時にどうしても資金が必要になって、株式を売らなければならない事態が生じることである。このことから言えるのは、長期における株式のリスクは種々の投資商品の中でも最も低いが、短期においては逆にリスクが最も高い、ということである。

ほとんどの投資家が意識していないのは、株式市場が過去のピークに戻るまでどれくらい時間がかかるか、という点だ。市場（S&P500）が1966年のピークに戻るまでに16年、1929年のピークに戻るにはさらにそれ以上の時間を必要としたことは、覚えておいたほうがいい。

しかし、株式を売らなければ、株価の上下はさほど気にする必要はない。気になるかもしれないが、遠く離れた土地の雷雨同様、心配するには及ばない。他方、長期における最大のリスクは、インフレと、投資家自身が感情に左右されることで生まれる不要なリスクだ。短期のマーケット・リスクに対する最適な対策とは、足もとの価格変動を一切無視して長期投資家になりきることである。

リスク許容度とは、世界が最近の金融危機を通して認識したとおり、市場の極端な暴落期において、どこまで耐えられるかということである。そして、投資家の資産が長期に保有されることさえ理解できれば、短期の価格変動がもたらす精神的不安からは解放される。

つまり、投資家にとっては単に収益率に注目するのではなく、意識的にリスク管理に注目することこそが重要であることをおわかりいただけたと思う。

第13章 効率的ポートフォリオとは

資産運用が「芸術」か「科学」か、というのは、プロのファンド・マネジャーの間で好まれる議論だ。それは、運用が科学でないなら、芸術に違いないという結論に落ち着くからである。天才的な投資家を観察してきた人々は、個別銘柄や株式グループを選択するという行為が、微妙で、直感的で、複雑で、いわく言いがたいために、誰もがそれを芸術だと思う。

だが、大部分の運用機関にとって、ポートフォリオ・マネジメントは、芸術でもなければ科学でもない。決められた運用方針の制約の中で、特定の目標に到達するための最も信頼できる方法を決定するという「エンジニアリング」、すなわち地道な作業だ。その際に最も大切なことは、問題の本質を正確に定義すること。問題の本質が正確にわかれば、正しい解決方法を見出す道筋が見えてくる。

わけのわからない断片的な情報や、時に間違った情報、人間の解釈など、さまざまな不確かなプリズムを通る間に変化し続けてきた複雑な情報も、株と債券のインデックス投資がすっきりまとめてくれる。インデックス投資こそが、投資目的に合い、信頼に値する効率的な方法だ。

最小リスクで最大リターンを目指すには

第12章で述べたように、長期投資の目標は、これだという株や債券を安く買い、高く売ってリターンを得るのではなく、適正なポートフォリオ・リスクを取り、リスクをうまく扱って、長期的にまずまずのリターンを得ることである。有効なポートフォリオ・マネジメントとは、意図しないリスクを排除し、意図した水準のマーケット・リスクを引き受けることで期待リターンを最大化するものだ。効率的ポートフォリオとは、一定のリスクに対応したあらゆるポートフォリオの中で、最大の期待リターンをもたらすもの、また、一定の期待リターンを達成するポートフォリオの中で、リスクを最小にとどめるものだ。

債券にも、個別銘柄リスクと債券グループリスクがある。たとえば、特定の業種に属する会社が発行する債券は、その業界の状況変化によって価値が変わってくる。繰上償還や買取請求権を持つという点で共通している債券グループは、市場平均に対してグループとして価格が上下する。

２００８年に起きたモーゲージ債（訳注：住宅ローンを担保にした債券）の大暴落は、その典型的な例だ。

格付機関における格付けの間違いのほとんどは、同一業種またはグループ内の、特定発行者の相対的リスク評価を誤ったことによるものではなく、グループリスクに固有の評価の難しさによるものだ。

２００８年にサブプライム・ローンを組み込んだ証券化商品にトリプルAが与えられた一件を思い出せばよくわかる。格付機関は、このグループリスク評価において組織的な過ちを犯し、ムーディーズやS＆Pの格付けに依存する多くの投資家に膨大な損失を与えた（債券格付けのミスは、１９２０年代の市内鉄道債以来、これまで何度も起きている。人々の移動手段が鉄道から自動車に変わったことで、多くの鉄道会社が倒産した）。

インデックス投資の利点

債券ポートフォリオ（債券の分散の仕方）の組み立ては、概念的には債券市場全体を表すパッシブ・ポートフォリオを基準とすることから始める。そして、個別証券の倒産などの信用リスクを避けるために多くの債券に分散し、さらに金利上昇にも備えて満期を均等間隔に設定する。個々の債券リスクは分散することで大幅に下げられる。低い格付けのファンドは、デフォルトによる損失を埋めた後でも、高格付けファンドに比べてリターンが高くなる。

個人は、個別の社債に投資してはならない。元本を守るためには、分散投資が絶対条件だ。幸いなことに、あらゆる種類の債券に分散投資する低コストの優良インデックス・ファンドが比較的簡単に手に入る。運用成果を左右する決定的な要因は、どの債券に投資するかではなく、そもそも債券に投資するかどうか、投資するとすればいくらか、という点にある。

何百年も前、船や積み荷に対するリスクを回避するために、保険とリスク回避資金が発明された。これと同様に、大きな損失を避け、ポートフォリオ・リスクを回避するのが債券ファンド・マネジャーや運用機関の専門家の責務だ。

多くの投資家は、自分たちの運用はアクティブであり、主義主張を持ち、攻撃的であると考えているかもしれないが、実際には、株式投資も債券投資も、防衛的なプロセスであり、またそうでなければならない。長期運用に成功するうえで何より大切なのは、巨額の、回復不能なロスを避けることだ。借り入れによる投資は自滅につながる。歴史を見ればわかるように、そのための最良の方法はインデックス投資である。

第14章 運用資産の全体像を見てみよう

経済学の入門書で学んだように、お金は他のものでも代用できる。しかし、多くの人は、投資資産と資産を切り離して考えようとする。これは大きな間違いだ。そして、この間違いによって、株式市場が大きく動いた時にいらぬ心配をする。また、この間違いから間違った質問をし、間違った答えを得て、間違った結論に至りやすい。

その一つの例を紹介しよう。年齢に応じた割合で債券投資をせよという伝統的な考え方だ。これは正しいだろうか？　経営学の修士号を持つ30歳の女性が、投資の30%を債券で投資すべきだろうか？　彼女の現在の財布事情だけを考えていてはいけない。今の収入がこの先30年も45年もずっと続くわけではない。彼女が65歳になった時には、現在のように一般的な定年は65歳ではなく、70歳か75歳になっているだろう。また、私のように、働くことが楽しくて、年齢を重ねてもずっと働き続けるかもしれない。

将来の金融資産を見積もってみよう

現時点で、将来の収入をどうすれば計算できるだろうか？　それはとても簡単だ（勤務先の人事課、母校の大学院、転職エージェントに問い合わせて平均値を知ることもできる）。将来の収入がわかれば、それを現在価値に置き換えてみればいい。

自分の収入がわかれば、「こんなにたくさん！」となるかもしれない（さらにこの数字には、ボーナスや株の投資から得られるリターンは含まれていない。それに年金や４０１（k）、社会保障給付金だってもらえるはずだ）。資産として、将来の収入の現在価値が投資ポートフォリオに上乗せされる。ポートフォリオを考える上では、これらの資産も含めて考えよう。

将来確実な収入が得られるとすれば、その収入を生み出す資産を現在持っているとみなすことができる。その価値は金融総資産の95％にもなる。この「おおよその将来の総収入金額」は、株価の上下に左右されず、安定的である。だから、「年齢に応じた割合で債券投資」をする必要はない。金融資産は、１００％株式であるべきだ。

時間がたつにつれて、資産の全体像のなかで他の部分も大切になる。たとえば、居心地のよい素敵な家を買うかもしれない。持ち家は「お金を生み出す」ものではない。多くの年配の方々は、「持ち家は最高の投資」だと思っているようだが、それは誤解である。インフレが続き、住宅ローンの税控除も継続すると考えているからだ。だが、そんなはずはない。持ち家の最大の「リターン」は、家族が得られる居心地の良さと幸福にある。だから、多くの経済学者は、持ち家を消費財とみなすのだ。しかし、家は長期間保有することができる。「消費財」と言うには長すぎるくらいだ。このため、持ち家は「安定した価値のある資産」と呼んだほうがいいだろう。

ライフプランについて考える時は、将来の収入と持ち家に加えて、現在および将来の株式資産も忘れずに検討しよう。また、株価が上下しても、株式を分散投資していれば、あまり大きな影響を受けることがない。こうすれば、特定の株に集中投資している人のような余計な心配をする必要がない。「バランス」をとるための債券を買わないことで、チャンスも生まれる。さらに、長期間、短くても半世紀にわたって投資をすると、トータルのリターンは飛躍的に向上する。

ポートフォリオの全体像について考える時は、将来の年金や401(k)についても知っておく必要がある。これも私たちの金融資産の一部であり、考慮に入れなければならないものである。また遺産がもらえるようであれば、それも将来の金融資産の一部に含めよう。

「退職間近」の人は、さらに綿密に今後の経済面での人生設計をする必要がある。70歳まで年金受給を待てば、その後はかなり有利になる。62歳で受け取るより76%も増加となるからだ（訳注：数字は違うが、日本でも同様の制度となっている）。同じように、401（k）も支払いを先に延ばせば、支払額がそのまま再投資され、そのリターンには税金がかからないため、将来かなりの増額となる。つまり、働き続けると、いいことずくめだ。

第15章　債券投資にひとこと

債券の歴史は長い。長年にわたりさまざまな変化を遂げ、人は債券にどのように、またいくら投資するかについて、知恵を絞ってきた。20世紀初頭、大手の鉄道株と銀行株を除くと、株式は「投資の価値がない」とみなされていた。

だが、このような考えは、エドガー・ローレンス・スミスの『長期投資としての普通株式』[1]によって変わった。スミスによると、債券の組み合わせの利息よりも、株式を組み合わせた投資の配当のほうが、継続的に見ると確実であるという。さらに株式は長期的に値上がり益が見込め、長期投資をすれば、株式で一層の収入を得られるというのだ。この本は20世紀の好景気を後押しし、多くの人が株を買った（株価が上がると一儲けしようとして売買差益を狙う人たちが現れた）。

債券投資は考えもの

この状況は1929年の大暴落と、それに続く大恐慌で激変した。「賢明な」人は、再び債券投資をするようになり、第二次世界大戦中、戦争債券（国債）が広く推奨された。戦後も恐慌に対する人々の恐怖は強く、債券投資は続いた。60対40の比率で株式と債券に投資をする方式が、個人、企業年金基金などで慎重な投資方法として確立され、それが広く賢明な方法だとみなされるようになった（ほとんどの公的年金では90％が債券投資だった）。

通常株価が上がると、債券は下がる。そして、逆も起こると言われている。市場が乱高下する時に自分のプランを変えないことは難しいが、債券は安定しているので、市場が荒れている時も安心して、計画どおりでいられる、と言う人がいる。

株式60に対して債券40の割合で行う投資スタイルは広い年齢層に受け入れられ、また、「年齢とともに債券の比率を上げる」ことが「賢い」投資法として推奨された。つまり、30歳では30％を、40歳では40％を、そして90歳では90％を債券投資に充てるというものだ。

しかし、立ち止まって考えてみよう。債券投資の割合を検討する前に、自分の資産の全体像を把握する必要がある。株式下落による損失を心配して債券を持つのであれば、資産全体をまず見るべきだろう（広く分散されたインデックス投資をすれば、心配の種は減り、投資プランを続けていくことが容易になる。これがインデックス投資の優れた点の一つである）。

ミスター・マーケットに振り回されないためには、これまでの株式市場の動きを学び、今後も同じような動きになるだろうと理解することだ。そうすれば、市場が私たちに人間的な過剰反応を起こさせようとしても、しっかり備えることができる。多くの人にとって、債券を持つことは、過剰な心配を軽減するためのコストでしかない。

私の話をしよう。私は現在80歳代で、今でも仕事を続けている。仕事は好きだし、他人の助けになるのも好きだからだ。私の資産の80％は債券かって？　答えはＮＯだ。とんでもない（仕事を始めて以来、ずっと投資の仕事をしてきた私は、ミスター・マーケットが私たちを不安に陥れる場面を何度も見てきた。だから、ミスター・マーケットが何を仕掛けてきても、備えはしっかりできている）。

実は、私は債券を全く持っていない。私の総資産の中にはもちろん、かなりの「安定した資産」がある。それはリターンのある投資ではないが、私にとって大切なものだ。年金も、家や家具なども安定した資産であり、これらを考慮に入れれば、総資産の30～40％になる。

これだけの資産があるのにさらに「安定した資産」など必要だろうか？　私の株式資産

の時間軸は子供や孫の寿命だ。子供の年齢は50歳で、孫は15歳にもならない。ということは、投資の時間軸は今後70年か80年続く。

そう、私は恵まれている。だが、重要なのはそこではない。大切なのは、私たちが自分の状況を見つめ直し、自分に合った投資計画を念入りに作成することだ。読者の皆さんも私のようにすべきだろうか？　答えはYESでもあり、NOでもある。

YESとは、自分の状況をよく把握し、資産状況をしっかり見て、株式の割合を自分に合ったものにするという意味において。NOとは、私たちは一人ひとり違っているからだ。あなたが私と同い年で、収入も投資の時間軸も、リスクへの耐久力や預金などが同じでない限り、私にとってよいものが、あなたにとってもよいものであるとは限らない。

「目標期日に沿った」とか「あなたの人生設計に基づく」を謳い文句にする退職ファンドはどうか？　アドバイザーに興味のない方には、出来合いのうまく組み合わせたインデックス投資が何もしないよりはよい。だが、注意が必要だ。こうしたファンドは、「年齢と同率の債券投資」であることが多く、これは、老後、経済的な心配をせずに安心して暮らしたい人や、コツコツと資産形成をしようとしている人に最良の方法とは言えない。

債券投資のリスク

債券は、このところよい状況にない。優良債券でも利息は2％。連邦理事会は、インフレ率が2％になるように目論んでいる。だとすると、債券から得られる利益はない。リターンを得られないなら、よい投資とは言えない（利率が上がると所有する債券価格が下がり、結局損失を出す、というリスクがある）。

長期投資として債券はリスクがあるのに、債券を所有する意味のある時と理由とは何だろうか？　もし来年、何かお金が必要になる事情や買い物があれば、それ以外の額を、短期金融市場に預けるのはいい考えだ。同様に、家を購入する場合に、頭金を5～7年の中期債券で投資するのも賢いやり方だ。

皆さんは、「いざという時のお金」を持っておきたいと思うだろう。銀行貸付や証券会社の信用取引口座でもなんとかなるが、すぐに現金化できる「まさかの時の備え」が欲しいと考えるのは間違いではない。「よく食べるか、よく寝るか」のどちらかの選択で言えば、この蓄えは明らかに「よく寝る」ほうだ。それには長期の投資資産以外の必要額を短期のマネーマーケット・ファンドにするのがいい。

金融資産の全体像を気にしない人であれば、もっと債券を買いたいと思うだろう。資産配分は、自分がどのくらいの市場リスクに耐えられるかに応じて決めればよい。特に市場が次々と私たちにリスクを突きつけ、世界の終わりを告げるような悲惨な状況においては。

しかし、さらに債券を買うなら、その「保険」としてかなりの額を支払うことになるということが、これまでの歴史からわかっている。ミスター・マーケットのいたずらに対して、多くの人が心配し傷つくのは、市場のことをよく理解していないからだ。市場と自分自身について正しく理解することで、長期の運用基本方針に沿って、心穏やかに投資を継続することができる。

第16章 なぜ運用基本方針が必要か

長期の運用の基本方針を策定したら、明確に文書化し、確認しておくべきだ。その最大の理由は、その場しのぎの方針変更からポートフォリオを守るため、市場が混乱し、自分の運用基本方針への信頼が揺らぎそうな時、長期方針を貫き通すためである。投資の失敗は、市場や特定の銘柄への投資などの外的要因か、それにより引き起こされる自分の感情などの内的要因か、またはその両方によって起こる。

市場が悲惨な状況になると、決めた投資方針は揺らぎ、それを変更してしまうことが多い。間違った理由によって、間違ったタイミングで、間違った決定をすることはよくある。

株価が急落すると、その後、株価が戻ることを考えず、多くの投資家はすぐに株を売ろうとする。その逆も起こる。これまでにない高値になると矢も楯もたまらず株を買う。このように間違ったタイミングで資産を動かすことは、長期的リターンにとって甚だしく有害だ。

テクノロジーの進歩によって投資の世界は一変した。そのおかげで、ファンド・マネジャーはある程度は、株式市場の平均的リスクとの距離をコントロールしたどんなポートフォリオでも作れるようになり、投資家も自分のリスクの範囲内で、マネジャーが約束に見合う成績を収められることを望むようになった。同様に、インデックス投資で長期的な投資方針を立てられるようにもなり、自分のリスク許容範囲内で、自分の決めた目標を達成できるようになった。

ミスター・マーケットの短期的な挑発に乗らないためには、市場を理解し、自分の市場への理解度を知り、自分の目標と、その目標のために何が大切かを十分に理解することだ。それには、投資方針をきちんと明文化しなければならない。周りの人がパニックに陥ると、冷静な判断力を失いやすい。私たちはみんな人間だからだ。だが、投資は長期的な投資方針に従えばうまくいく。

理論的には、安値で株を買えば長期的な利益は大きくなることは誰もが知るところだ。なぜなら、安値で追加的に株を買い増すことができるからだ。しかし、株価が落ち込むことを望む人はほとんどいないし、多くの投資家が高値で株を買う。ここで買うと将来のリターンは低くなるとわかっているはずなのに。

ステキな服が2割引きや3割引きで売られていたら、何も買わずにそのまま店から立ち去ることはしないだろう。「バーゲンだから買わない。高くなるまで待つ」という客はいない。だが、投資をする時、多くの人がこのような行動をとっている。株式市場が下がる、つまり株が「バーゲン」になると、私たちは買うのを止める。実際には焦って売ろうとさえする。そして市場が上がると、どんどん買おうとする。

市場に詳しいジェイソン・ツヴァイクが指摘するように、「私たちは普段の買い物をする時のように株を買えば、もっとうまくいく」のだ。株価が上がり続けている時に有頂天になったり、下がり続けている時に落ち込んだりするのは間違っている。株式相場の下落は、安値で買うための第一歩なのだ。

恐れるよりも歴史に学べ

不安や恐怖について研究している心理学者によれば、人が実際以上に不安を感じるのは、次の四つのケースである。規模が大きいケース、自分が状況をコントロールできないケース、未知のケース、そして突然起こるケースである。その結果、飛行機事故（年平均死亡者数30人以下、負傷者数350人以下）を、自動車事故（年平均死亡者数4万5000人、重傷者数は35万人を大きく上回る）より恐れることになる。

ほとんどの投資家が、自分のポートフォリオが突然、大きな損失を被るのではないかと不安を抱いている。しかし、株式市場の長い歴史を学び、それを正しく理解していれば、突然の値下がりは予想の範囲内だと思える。時期はともかく、そうした下落の規模や突然起きることも、予想できるものである。

私たちは、市場について学んでいないと、不安になる。株式市場がひどく落ち込んだ時に冷静さを失い、不安と恐怖にかられる。その結果、目先のことにとらわれるあまり「群衆心理」の過ちを犯し、大切な長期投資をダメにしてしまう。

また投資家は、株式市場の暴騰や暴落、そしてそれを増幅するさまざまな意見により、非現実的な希望を抱いたり、不必要な恐怖にかられたりもする。その気持ちはわかる。投資家は市場の本質を十分に理解していないと驚かされることばかりだ。実際、2008年と2020年に起きた市場の大混乱では、多くの人がパニックに陥った。

だが、投資の現実をよく理解すれば、資産の中の長期投資のリターンを大幅に向上させることができる。これまでの経過を、特に株式市場が極端に揺れ動いた時のことを、客観的にしっかり勉強することが、収益向上のための最良かつ最も安上がりな方法だ。だから、過去何十年間の収益率と平均値からの乖離パターンを検討し、株式市場がなぜ大きく動くのかをしっかり学ぶ必要がある。

投資家にとって、現在の株式市場について学び、今後の動きを検討するよりも、投資の歴史を振り返るほうがはるかに効果的だ。哲学者のサンタナヤは「過去を忘れる者は、必ずその失敗を繰り返す」と警告する。近所の図書館に行って、1928~29年、1957年、1962年、1973年、1987年、2000年、2008年、そして2020年当時の雑誌や新聞記事を読み返してみてほしい。野球選手のヨギ・ベラが、「これまで何度も起きてきたことなのに、その度にいつも驚いている」と述べるように、市場にはいつの時代も驚かされるが、実は細部において異なっていても、本質的にはそれほど変わらないものだ。

投資と資本市場の本質を理解すれば、毎日の市場の動きを気にしすぎることなく、真に重要で、賢明な運用基本方針を策定し、それを貫き通すことができる。そうすれば、長期的にはよい結果が得られ、他の大多数の投資家より高い収益を得ることができる。

第17章

成功する運用基本方針策定のポイント

投資で成功するチャンスは誰にでもある。誰もが投資で勝てる。それは難しいことではなく、簡単なことだ。成功の秘訣の第一は、ミスター・マーケットの仲間たち、証券会社や投資信託から送られてくるたくさんの宣伝や広告、市場見通しなどを一切無視することだ。

第二は、自分の運用基本方針を決めること。そして長期間それをブレずに継続することが達成したい結果を得るための早道だ。投資方針は、自分の長期目標と日々の投資に対する実践が精緻に連動していなければならない。しっかりとした理解のもとで基本方針を慎重に決めないと、運用は「場当たり的」になる。成功するかどうかは、他人との闘いではなく、自分自身との闘いだ。要は、ミスター・マーケットの妨害に屈することなく、自分の「任務」を遂行できるかどうかである。

投資の5段階

運用のプロセスは一見複雑だが、次の5段階に整理するとわかりやすい。

●**第1段階** 長期の運用目的の決定と、その達成のための望ましい資産配分比率の策定……株式・債券、その他の資産への配分を決める。

●**第2段階** 株式の配分の決定……成長株対割安株、大型株対小型株、国内株対外国株など、さまざまなタイプの株式を正しく配分する。債券も同様に検討する。

●**第3段階** アクティブ投資かインデックス投資かの選択……これまで見てきたとおり、コストの低いインデックス投資が長期投資には一番よい。

●**第4段階** アクティブ運用を選ぶ場合、どの会社のどのファンドにするかを決定する（残念ながら、多くの人はここに多くの時間と手間をかける）。

●**第5段階** 個別銘柄を選び、売買を実行する。

最小コストで最大効果を生み出すのは、第1段階だ。すなわち、適切な長期目標と資産配分である。第4段階、第5段階の個別ファンドや個別銘柄の選択は、最もコストがかかる割に効果はほとんどない（アクティブ運用を熱心にすればするほど、税金とコストがかかる）。

これが、「敗者のゲーム」の究極の皮肉な結果だ。私たちは得てして、第5段階の個別銘柄の選択で勝つことに夢中になりがちだ。だが、これこそがミスター・マーケットの狙うところだ。このゲームに参加すると高くつき、得るものはほとんどない。それどころか、このゲームに勝とうと夢中になり過ぎるあまり、低コストで高リターンも見込める一番重要な第1段階を忘れてしまう。

だが、どんな資産配分もインデックス投資で成し遂げられる。アクティブ運用を考えている人は、一見儲かりそうで魅力的だが、コストがかかり、どれを選ぶかによって結果が大きく変わるアクティブ投資ではなく、確実にリターンが得られるインデックス投資を選ぶべきだ（手数料については第22章を参照）。

アクティブ運用をする人の望みは、上位4分の1に入ることだろう。それを実現するための方法は、実はとても単純なことで、長期でインデックス投資をするというものだ。投資の歴史が証明しているように、今後もインデックス投資はうまくいく。

それでもやはり、インデックス・ファンドの代わりに、ポートフォリオの中身を市場平均から戦略的に遠ざける運用機関を選びたいなら、次のことを十分に理解し、確認しておく必要があるだろう。

どのようにポートフォリオを組み換えようとしているのか（特定少数の銘柄への集中投資か、特定業種への集中か、あるいは現金に集中するのか）、いつ実行するのか（長期方針の一部として常時か、時折短期的になるのか）、そして最も重要なことは、なぜ運用機関がこのような投資を行うと、超過収益を得られると思うのか、ということだ。個人投資家がこうした問題に正しく対処することはきわめて難しい。

運用基本方針のチェックポイント

これまで見てきたように、「時間」すなわち想定投資期間は、適切な運用目的を規定する最も重要な要素だ。この期間に、投資方針に従ってポートフォリオを運用し、そして投資家はその運用成果を、その目的と方針に照らして評価する。

どのくらいの運用収入が必要かという議論は、運用方針の中に含めるべきではない。投資のリターンは、投資家が増やしたいからといって、リスクを取らずに増やせるものではないからだ。投資目的が、顧客が毎年欲しい額に従って設定されるのはばかげている。

年金基金などで、数理計算上の推定値が運用の指針として前面に出されるのも、こうした非論理的な考え方の実例だ。大学の学長が赤字補填のために、基金の運用収入の向上を要求する場合も同様だ。年金基金が応じられる以上の額に値上げを要求することもあるが、いずれもナンセンスだ。

支出が運用に影響を与えてはならない。逆だ。支出の決定は運用成果によって支配されるべきで、その運用成果は運用方針によって決まるのだ。市場があなたの望みどおりのリターンを出してくれることなど、あるわけがない。

5年か10年に一度、自分の総資産、支出目的、投資経験、リスク許容度、どのくらいの期間投資を続けるかなどについて、総合的に見直すとよい。これらはすべてあなたの投資方針の基本となる。

最後に、運用基本方針についての簡単なチェックポイントを示しておきたい。

- 運用基本方針はあなたの長期目標に合っているか？
- その方針は、初めての担当者でもあなたの意図に合わせてポートフォリオを運用できるように明文化されているか？
- 常識が覆されることの多かった過去50年間、特に2008年を含めた混乱期に投資をしていたとしたら、あなたはその方針を堅持できたか？
- 長期的にみて、その方針は自分の必要性と目的に合っているか？

適切な運用基本方針は、これらのテストすべてに合格するはずだ。皆さんの方針はどうだろうか？

第18章　運用成果測定の狙いは何か

もしあなたが次に説明する事例の意味するところを十分に理解できていれば、運用成績という統計の重要性もわかるだろう。

大勢の人がコイン投げ競技に参加したとしよう。すると、次の二つの結果が生じると予想される。

① 超長期では、ほとんどの人が50％の割合でコインの「表」を出し、50％の割合で「裏」を出す

② 短期から中期においては、より多く表を出す人もいれば、裏ばかり出す人もいる

どの時点で測定したとしても、記録は客観的で明確だ。しかし、コイン投げの場合、こ

れまでの結果は、今後の予測の参考にはならない。遅かれ早かれ、すべての参加者の成績は平均値へと近づく。第5章でも述べたように、統計学者が「平均への回帰」と呼ぶ現象だ。これは投資成績を理解するための一つのカギだ。

ここで問題がある。投資技術の評価はとても難しい。投資過程は複雑で、さまざまな要素が絡み合う。絶えず売買を行うので、その過程の評価には長い時間がかかり、個別投資は日々状況が異なる。企業も業界もさまざまに変わり、投資をする人の競争も変わる。ポートフォリオの中の株と債券も、企業とその仕事内容も絶えず変化する。そして、恐れ、欲望、インフレーション、政策、経済ニュース、事業収益、投資をする人たちの予想など、さまざまな要素が株価に影響を及ぼす。こうした変化が止まることはない。

一方、投資マネジャーも年をとり、資産を預かる投資会社は顧客が増えたり減ったりする。その顧客との関係も徐々に変わっていき、新しいテクノロジーが導入されたりオーナーが変わったりもする。誰が熟練のマネジャーかはわかっても、その人も年月とともに変わっていく。投資の世界は変化が激しく、非常に複雑であるため、その特徴をとらえようとすると必然的に、長期的に集めた多くのサンプルが必要となる（宣伝に使われる「成績」の分析結果はわずか数年単位のものであり、これでは短すぎる）。

よく使われる12カ月間という期間では、40%の投資信託が市場平均を上回る（税引き後でも、30％以上で上回っている）。では、こうした投資信託がその後10年か20年、またはそれ以上の期間にわたって上回ることは可能だろうか？　これまでのデータでは、あり得ない！　ある専門家によると、２％の年間超過利益率でさえ、偶然ではなく優れた運用によるものと結論づけるには、70年もの観察が必要であるという。

パフォーマンスの測定が必要な理由

投資を始めるなら、長期投資がよいだろう。30歳から始めて85歳まで続ければ、50年以上にもなる。ご存じのように、途中で投資会社を替えるとコストもかかり、リスクもある。私たちはできるだけ同じもので投資を続けたいと考えるが、優れたマネジャーが、ずっと優れたマネジャーであり続けることはほとんどない。アクティブ・マネジャーを替えるのも簡単なことではなく、同時にコストもかかる。特に、これまでのマネジャーとの関係を終了させ、新たなマネジャーとの関係を築く時に問題が起きやすい。

パフォーマンスを測定する主な理由は、マネジャーとの関係向上のためだ。その目的は答えを出すことではなく、パフォーマンスを上げるには何が必要で、何が必要ではないかを互いに理解し、問題点をはっきりさせることにある。疑問に思うことがあれば、子供のように、「なんで？」と何度も繰り返し尋ねよう。そうすれば、一つか二つは互いの共通認識が見つかるだろう。このプロセスがアクティブ・マネジャーのレポートの成績にも確かな違いをもたらす。

マネジャーがあなたと同意した基本方針に従わず、ポートフォリオが誠実に実行されていないなら、その時点で期待以上の結果であっても、がっかりするような結果であっても、それはさほど重要ではない。問題は、マネジャーが同意したことに従わなかったという事実だ。遅かれ早かれ、こうした勝手な行動は損失につながる。ほとんどの場合、取り戻せないほどの損失に。

警告しよう。パフォーマンスの測定は、必要な時には役立たない。パフォーマンスの計測データは、正確で客観的な評価をするには短すぎて長期投資には向かない（サンプルも少なすぎる）。確実性の高い長期間のパフォーマンス結果は、現在の何かを決めるには向いていない。ようやく十分なデータがそろった時には、すでに最適なタイミングを過ぎていることが多い。

投資パフォーマンスの測定は、短期間では十分な意味を持たない。投資パフォーマンスの数字は「成績」を示しているのではなく、単にその近似値にすぎない。ある期間の小数点以下二桁までの数字で、投資リターンを細かく見ているだけだ。「6月30日までの12カ月間、投資家Aのリターンは7・53%だった」というような「結果」は、一見とても正確であるかのように見える。だが、これは運用の実像を示すものではなく、過去の長期の投資リターンの一つの例にすぎない（7・53%の代わりに7～8%と言ったほうがましだ）。投資期間が終了していないなら、今後もさまざまなことが変化し続ける。運用委託が終わり、ポートフォリオが現金化されるまで、本当の「結果」が出ることはない。

ファンド・マネジャーも投資家も、短期の「成績」にばかり注目し、長期的視野に立つ賢明さを忘れてしまうと、「悪貨は良貨を駆逐する」というグレシャムの法則が現実のものとなる。短期リターンを出してもらいたいと思うと、短期の成績が重要であるかのような錯覚に陥りやすく、長期的なパフォーマンスもそのまま続くと思い込んでしまう。しかし、それはあり得ない。このような短期的思考は、長期投資を成功させるうえできわめて有害だ。

そもそもファンド・マネジャーが好成績を出せるのはマネジャーの腕によるものではなく、彼の選んだ特定のセクターがたまたま平均以上の収益率をあげたという偶発的要因、すなわち運によるものだ。だからこそ、市場の流れが変わると成績もすぐに下がってしまう。ファンド・マネジャーの成績が結局は平均値へと近づくのだ。

もう一つの理由は、ファンド・マネジャーは皆プロであるということだ。彼らは皆、多くの情報を持ち、能力が高く、よく働くが、同じ情報と最新の技術を使って競うのだから、好成績のカギとなる割安株を継続的に見つけるのは至難の業だ。

「生存者バイアス」と「新規参入バイアス」

長期のパフォーマンスのデータには、「生存者バイアス」と「新規参入バイアス」と呼ばれる偏りが見られる。この二つのバイアスを合わせると、結果は恐ろしく偏ってくる。

「生存者バイアス」とは、成績のよくないマネジャーが含まれないこと（または、成績不振のファンドが終了すること）である。このように成績の悪いものが除外されれば、自ずと成績は不自然によくなる。そして、投資家は「数字はうそをつかない」と思い、騙される。

一方、「新規参入バイアス」とは、新設の運用機関の場合、（成績数字が存在しないので、自己資金を使って）実験的に運用し、その中で好成績が出たものだけをPRする結果、成績を実態よりよく見せることだ。こうした新しいファンドは他のファンドと統合し、数字上で平均的なファンドの成績をかさ上げするので、投資家はまたも騙されてしまう。これは投資家にとって大きなリスクとなる。こうした二つのかさ上げ分を差し引けば、うまく運用できたマネジャーのベンチマーク以上の好成績分は消えて、マイナスになることも少なくない。

さらに、時系列のデータ分析にはつきものだが、初年度がいつかで状況は一変する。

「目を見張るような」投資成績も、測定期間を前後に1、2年ずらすだけで平凡なものになってしまう。本当の成績を知りたいなら、一部の運用成績ではなく、何年にもわたる運用成績の全体像を要求しよう。

運用成績の測定結果を利用する時に重要なのは、データに含まれている三つの要素を区別してとらえることである。

第一の要素は、「サンプル抽出の偏り」であり、統計値が事実を正確に反映していない可能性だ。どのサンプルも不正確で不確かなことはある。投資のパフォーマンス・データにおけるサンプル抽出の誤りとは、ある期間のポートフォリオがその運用機関の実態を示すものとして、どのくらい適切で、どのくらい偏ったものかということだ。

第二の要素は、測定期間中の市場環境が、運用機関の運用方法にとって有利なものだったかどうかということだ。たとえば、小型株の投資家にとっては、これまでの数十年、非常に有利な時期と不利な時期があった。そのため、彼らは実際より「よく見えた」時期と実際より「悪く見えた」時期があったことになる。

第三の要素は、運用機関の技術だ。これは誰もが関心を持つものだが、ここにも障害がある。あまりに短期間だと、マネジャーの技術よりサンプルの隔たりのほうが、はるかに

表18-1　過去の運用成績別の成績順位

過去3年間の成績順位	その後3年間の成績順位 上位4分の1	上位4分の2	上位4分の3	上位4分の4
上位4分の1	29.2%	16.2%	15.0%	20.6%
上位4分の2	16.6	24.8	22.3	15.3
上位4分の3	14.7	20.0	22.8	16.0
上位4分の4	15.1	14.9	15.3	22.6

測定結果に大きな影響を及ぼすだろう。前にも述べた通り、素晴らしい成績がマネジャーの「腕」によるものか、それとも「運」によるものかを見極めるには、何十年ものデータが必要だ。自分のファンド・マネジャーが本当に優秀なのか、それとも単に運がよかっただけなのかを見極めるための十分なデータが蓄積された頃には、すでにその投資家は退職しているか、亡くなっているだろう。

運用成績が平均へ回帰する傾向がどれほど強いものであるかは、表18－1を見ても明らかだ。縦の列は、過去3年間の各四分位グループ（全体を成績順に4分の1ずつのグループに分けたもの）の、その後の3年間の収益率の中位数を示している。過去のデータは将来のパフォーマンスの手がかりにならないことがわかる。

もう一度、表18－1をよく見ていただきたい。ここには何のパターンも見られない。シャーロック・ホームズの小説で、犬が吠えなかったことが手がかりになったように、この表は「法則性がないこと」を示すものである。

「格付け」は無意味である

投資をする人であれば、モーニングスター社の「一つ星」から「五つ星」までの投信格付けを見たことがあるだろう。しかし、この格付けは過去の成績のみを基準にしている。実際、モーニングスターも、その格付けが将来の予想にはほとんど役立たないことを認めているのだが、新規の投資資金のほぼ100%が「四つ星」または「五つ星」の投信に流れている（高い格付けを得たファンドが、それをしばしば宣伝文句に使っているのを見たことがある方も多いだろう）。「モーニングスターの最高格付けファンドの成績が、平均的な格付けファンドを上回ることは、統計的に証明できない」という実証研究もある。(1)

現実には、「五つ星」を獲得したファンドのほとんどは、その後インデックス・ファンドの半分も稼いでいない。それなのに、格付けの意図せざる結果として、投資家は高値で買い、安値で売っているわけだ。

過去の成績が将来のパフォーマンス予想に全く役立たないという事実は、表18-2にも如実に示されている。これは、市場上昇期におけるトップ20のファンドの、市場下降期の

表18-2　上昇相場から下降相場に移った時のパフォーマンス順位の変化

上昇相場の順位	下降相場の順位
1	3,784
2	277
3	3,892
4	3,527
5	3,867
6	2,294
7	3,802
8	3,815
9	3,868
10	3,453
11	3,881
12	3,603
13	3,785
14	3,891
15	1,206
16	2,951
17	2,770
18	3,871
19	3,522
20	3,566

注：3896の投資信託の成績順位を2000年3月30日までの12カ月（上昇相場）とその後の1年（下降相場）で比較したもの

順位を比較したものである。ほとんどすべてのファンドがトップから落ちている。両時期のパフォーマンスに全く相関関係がないことは、オックスフォード大学ナッフィールドカレッジの投資担当者だったイアン・M・D・リトルも指摘している通りだ。

超長期においては、ほとんどのアクティブ運用の投資信託から得られる平均利益は、市場平均値から約1・5％の投資顧問料、売買手数料、保管手数料などのコストを差し引いたものとなる（最近の予想利益は約７％。そこから計算すると、その１・５％は利益の20％にあたる）。このため、プロのファンド・マネジャーが知恵を振り絞ってどんなに市場平均以上の成績をあげたとしても、コストを差し引くと市場平均を下回ってしまう。これは、投資成績を測定した調査・研究が一貫して示してきたことである。長期間にわたり、常に市場平均を２％以上、上回る利益を確保した投資信託は、全体のわずか２％にすぎない（しかもそれは税引き前の話である）。一方、投信全体の16％は市場平均を２％以上下回っており、アクティブ運用にとって決して分のよい数字ではない。

市場を２％上回るリターンを確保できるファンドが全体のわずか２％なら、誰もそのような賭けはしたくないだろう。そう考えると、インデックス・ファンドに絞られる。それに、これまで見てきたように、インデックスでは頻繁に売買を行わないので、税負担も少ない。

運用成績に一喜一憂しない

さらに問題なのは、実際に投資信託に投資して受け取るリターンが、公表される標準的な投資信託のリターンよりも著しく低いことだ。(2) １９９７年から２０１１年にかけては、投資信託のリターンの半額しか受け取っていない。１９９９年に行われたある研究でも、

表18-3　長期にわたり市場を上回るファンドはほとんどない

期間	ベンチマークを上回るファンドの比率
1年	40%
10年	20%
15年	10%

1984年から98年までの15年間に、S&P500が17・9%伸びたのに対し、株式投信に投資をした人は7%程度しか受け取らなかったと報告している。[3] その理由はファンドの売買にある。多くの投資家は一つの投信を長期保有せず、3年未満の短い周期で他の投信に乗り換えるからだ。また、ポートフォリオ自体の売買回転率は、一般に年間60%を超える（1年間に60%の株の中身が入れ替わる）ので、これに伴う税金を考えると、税引き後の手取りはさらに低くなる。

実際、長期になればなるほど、表18-3に示すように、市場水準以上のリターンをあげる確率は低下する。25年間にわたって行われたある調査によると、S&P500を上回る成績をあげたのは「生き残っている」ファンド全体の10%だという。ここで、「生き残っている」という点が重要だ。なぜなら、多くの投信会社は、不振のファンドを打ち切ってしまうからだ。つまり、売り出されたすべての投信を勘定に入れると、市場に勝つ投信の割合はさらに低くなる。

運用成績を測定する目的は、今のポートフォリオが基本方針と合っているかを確認するためだ。現実的な目標から予想外に、また説明もなく外れた時は、成績悪化のサインとみなすべきだ（投信で現実的な目標の指標として妥当なのは、類似の投資目的を持った他のファンドの平均的なパフォーマンス水準だろう）。そして、説明もなく大きく外れた場合は、「悪い」パフォーマンスとみなすべきだ。品質管理の統計技術を使ったことのある人なら誰でも知っているように、そのズレが期待よりも上か下かはあまり重要ではない。

私たちは、収益が高いことはよいことだと考えがちだ。これは長期においては間違っていない。しかし短期において成績が期待水準よりも離れることは、たとえ収益が予想を上回っていたとしても、マネジャーがその責務を果たしていないことを示している。

予想水準が逸脱していると、ポートフォリオに対するコントロールも失われていることが多く、長期的なパフォーマンスの低下を意味する可能性が高い。たしかに、収益は低いより高いほうがいいが、どちらもずれてしまっている点では同じであり、投資家はファンド・マネジャーの「運、不運」と「実力」を混同してはならない。

運用成績の測定に関して、プロのファンド・マネジャーが個人投資家に対して感じる大きな不満の一つは、誤った投資判断でもたまたま結果がよければ歓迎され、たとえ適切な意思決定でも一時的に成績が悪化すると、最悪のタイミングで信頼を失ってしまうことだ。市場の波に合ったファンド・マネジャーは天才とほめそやされるが、波が変わればそうした腕を発揮することも不可能になる。

最後に強調したいのは、運用成績を気にしすぎると、大切な長期運用方針よりも短期的な運用成績のほうに関心が移ってしまい、結果として非生産的な思考と行動をとりやすくなることだ。

第19章 市場予測の難しさ

投資家なら、誰しも将来の市場予測が気になる。長期投資家は、経済指標や株価は釣り鐘状の正規分布に沿った形で表れ、長期的には「平均値に回帰する」ことを経験から知っている。将来のリターンをある程度正確に予想するには、将来のＰＥＲ（1株当たりの利益に対する株価の比率）と利益水準が歴史的な上限と下限の間にあると仮定することだ。投資期間が長期にわたるほど、「平均値」へ向かう動きが頻繁に見られるはずだ。

もちろん、株式市場は何千という企業の動向だけでなく、経済全体を反映する、きわめて複雑なものだ。しかし、投資家にとって重要なことは次の二点である。第一に、企業収益（そして配当）水準。第二に、株式が1株当たり利益の何倍まで買われるかという倍率、すなわちＰＥＲである。ＰＥＲは金利によって決まり、そして金利は主として収益予想と期待インフレ率を反映し、「株式リスク・プレミアム」と投資家心理を反映して動く。

将来について知りたければ、過去に学ぶべきだ。たとえば、1901～21年にかけて、インフレ調整後のアメリカ株式市場の平均リターンは年率にして、わずか0・2％だった。1929～49年には0・4％。1966～86年は1・9％。つまり、20世紀の6割を占める期間において、実質リターンは2％にも満たなかったのである（21世紀の最初の20年間は、さらに悪かった）。1964年末と1981年末で、ダウ平均は875ドルだった。企業の利益はかなり上がったが、インフレ率調整前で、17年間全く値上がりしなかったのだ。企業収益は順調に成長していたが、金利が4％から15％へと急上昇したため、それが利益と株の価格を押し下げ、投資家の投資意欲がそがれてしまった。

この低迷期の後、市場はどうなったか？

1988年には配当率は3・5％になり、その後11年間、企業収益は年率7・1％で伸び続けた。配当金と企業収益増加を合わせた基本リターンは年率10・6％に、投資収益はなんと18・9％にもなった。それだけではない。PERが2000年に12倍から29倍へと増えた結果、投資家はさらに8・3％という驚異的なリターンを手にしたのだ。

この上昇は続いたか？　もちろん続かずに、やがて「平均への回帰」がやって来た。12倍というPERも低すぎたが、29倍は高すぎて結局下降に転じた。

歴史的視点を持つことの重要性は、強調しすぎることはない。企業収益率とPERという二つの要因から、アメリカ株式市場最高とも言える1982年から1999年までの時期を説明してみよう。まず注目すべきは、1982年における企業収益が、GDP全体のわずか3・5%だったことだ。これは、平均値である4~6%に比べるとかなり低いことがわかる。1990年代の終わりには、6%近くにまで達した。これは重要な変化だ。長期米国債券の金利は、その間14%から5%にまで下落している（この変化によって、この債券の市場価値が8倍に、すなわち、年複利で13%になった）。

市場変化と投資家心理

この二つの変化をもたらした要因は、経済実態に基づくものだった。しかし、同時に投資家心理の変化も見逃せない。1970年代の投資家は全体としてきわめて悲観的だったが、1990年代にはすっかり強気になった。収益の伸びも要因としてあげられるが、この間、インフレ予想が大きく低下し、利息の低下も影響して、ダウ平均は実に20倍に上昇した。これは複利で年率19%に達するレベルだ。

多くの投資家は、株価が平均へ回帰することを忘れ、この流れが今後も続くと錯覚しがちだ。1970年代には、ほとんどの人はインフレが長期にわたって持続し、企業収益は低迷し続けると予想した。メディアの論調も同じだった。2000年には、バブル崩壊の危険を無視してIT関連株の上昇を期待した。「今回だけは違う」と考えたのだ（この他にも、歴史上のバブルの例としては、1830年代イギリスの「運河バブル」、1850年代のヨーロッパとアメリカの「鉄道バブル」、1920年代の「自動車バブル」、そして1980年代の日本における「土地バブル」などがある）。

2007年までにはITバブルの崩壊は忘れ去られ、投資家は歴史的平均を上回るPER水準に不安を感じなくなってしまった。その時、サブプライム・ローン市場が崩壊した。信用市場は凍りつき、株式市場は暴落し、大手金融機関が次々と破綻して「パーフェクト・ストーム」と呼ばれる大混乱に陥った。そして、深刻な景気後退懸念が世界を覆うことになったのは記憶に新しい。目先の市場予測がいかに難しいかが、ここにはっきりと示されている。

まず、仮に配当利回りが1・5%で、企業収益が長期平均に近い4・5%で伸びるとすれば、合計の6%はインフレ調整前の基本的リターンの合理的な推定値と言えよう。次に、バリュエーション（企業価値評価）の変化、PERの変化はどう推計できるか？ 過去10年のPERはおよそ15・5倍だ。

ベンジャミン・グレアムの古典的な教科書『証券分析』のまえがきにも書かれているように、「長期投資をしようとする者は、直近の経験を重視しすぎてはならない」[1]。この指摘は1929年の大暴落に関するものだが、ITバブルや、2008~09年の金融危機などでマーケットが過剰反応したことを思い出してみても、どの時代にもあてはまるものではないだろうか?

長期的な株価水準を大まかに予想するのは、決して難しいことではない。しかし、正確に予想するのはほぼ不可能に近い。同様に、長期的に株価のあるべき水準を予想するのは決して難しくはないが、数カ月先の株価水準を正確に予想するのはきわめて難しいだけでなく、そのような予想をすること自体が無意味である。

人生設計と投資

WINNING
THE LOSER'S GAME

第20章 私たちが投資する際の課題

個人投資家は、機関投資家とは大きく異なる。単に、資金規模が小さいだけではない。一つは税金の問題だ。アクティブ・マネジャーは1年で全体の40％の株を売買するが、その税金は個人投資家が負担している。公表された運用成績は、税引き前だということを忘れてはならない。もう一つの違いは、人間はいつか必ず死ぬという厳然たる事実である。いつ死ぬかは誰にもわからないが、これは投資をするうえで大きな問題だ。

私たちのように働いて収入を得る者は、限られた期間内に生涯の貯蓄を積み立て、退職後に備える。そして、引退して収入がなくなると、その資産で、その先何年かわからない残された人生の生計を立てなければならない。

冷静かつ合理的に対処することは、投資で成功するための最大の秘訣である。しかし、現実には、私たちは感情的な判断に左右されることが多い。財産が自分自身の価値を示すと考える投資家もいる（オーナー経営者がしばしば自分の価値を、自分の会社の価値と同一視するように）。特に、「財産が自分の価値を示す」と考える傾向は、年配の人に多く見られ、それが高じて怒りっぽくなったり、些細なことにこだわったりする。もしこうした老人が家族にいたら、そっとしておけばよい。彼らなりの死への恐怖の表れなのだ。

さらに重要な違いは、個人投資家は贈与や遺言といった形で、他人に対して精神面と金銭面で強い影響を及ぼすことだ。期待以上だったり期待以下だったり、不公平と思われる場合においては特にそうだ。お金の持つ精神的影響と象徴的な意味は、お金そのものの影響よりも大きくなることがあることに、個人投資家は留意すべきだ。

個人投資家は遺産相続やボーナスなど臨時収入があった時に株を買い、子供の大学進学や家を買う時に持ち株を売ることが多いが、これは市場状況とは関連がない。ただ、率直に言って、個人投資家が市場を見ながら売買する時はだいたい失敗する。彼らはマーケットの中心から外れているため、楽観しすぎたり悲観しすぎたりして、上昇相場にも下降相場にも乗り遅れるからだ。

多数の専門スタッフを抱える機関投資家と異なり、個人投資家は株式市場全体を見渡して銘柄を探すことができない。2、3社のことすらよく理解していない。投資時にはその会社の意味ある情報を得たと思っているが、その情報は間違っているか、関係ない場合が多い。アマチュアが「耳よりの情報」と思うものは、すでに専門家には知れ渡っていて、価格にも織り込まれているからだ。学者が、素人の売買行動を、「ノイズ（雑音）」と呼ぶのは正しい（この言葉を聞いて腹を立てる人は、落ち着いてほしい。単に事実を述べているにすぎない）。

１９６０年代、プロのファンド・マネジャーが何百もの銘柄を徹底的に調査し、市場の90％を占める素人に勝てると思ったとしても不思議ではない。それは半世紀前の話だ。だが、市場の実態は一変した。この50年間で投信・年金・ヘッジファンドの劇的な増加と、売買頻度の増加により90対10だった個人投資家と機関投資家の比率は、完全に逆転した。今日では、ニューヨーク証券取引所（ＮＹＳＥ）の売買高の90％以上はプロのファンド・マネジャー、すなわち機関投資家によるものだ。さらに言えば、ＮＹＳＥの売買高の70％は上位１００社の機関投資家によるものであり、50％は上位50社によるものだ。皆、経験豊富なプロである。この大手１００社の機関投資家に勝つことがいかに難しいかは、次の事実を見れば明らかだろう。

これら大手機関投資家は、1社で年間合計1億ドルの手数料を証券会社に支払う。その見返りに大手証券会社は、最高のリサーチと売買対応を提供する。高度の情報機器を備え、社内には平均20年以上の経験を持つベテランのアナリストとファンド・マネジャーを抱え、常時最高の情報を得ている。

表20-1　購買力に対するインフレの影響

インフレ率（%）	購買力を半減させる年数（年）
2	36
3	24
4	18
5	14
6	12

もうおわかりだろう。個人投資家には全く勝ち目がない。

恐るべきインフレーション

さて、投資をする人にとって恐るべき、そしてあまりに過小評価されている共通の敵がいる。インフレーションだ。インフレは、誰にでも、特に引退後のシニア層に打撃を与える。最近はあまりインフレが起きないので、ないものと考えがちだが、インフレの力は本当に恐ろしい。連邦準備銀行は、現在2％のインフレ目標を掲げているが、インフレを完全にコントロールすることはできないし、3～4％のインフレになってもおかしくない。

長い目で見ると、インフレは大きな問題であり、日々の株式の価格変化やサイクルによる変化よりずっと深刻だ。一般的に許容される年率2％のインフレが続けば、購買力は36年で半減する（表20－1）。年率5％のインフレが続けば、購買力は14年以内に半減し、次の14年間でさらにその半分になる。現在の平均寿命は80歳代だから、これは重大問題だ。引退後、インフレによる購買力の減少を埋め合わせる収入がない場合には、なおさらである。

さらに、私たち個人投資家には、個人としての責任がある。住宅の購入、子供の教育、老後の生活費用、災害などへの備え、想定以上に長生きするリスク、年老いた親戚への医療費の支援、自分の学んだ学校などへの寄付などだ。また、子供や孫のため、何がしか遺産として残したいと願うだろう。ほとんどの人にとって進歩とは、子供の世代の生活水準が上昇することである。問題はこうした負担額が時として際限のないものになりかねないことだ。特に人生の終末期にかかる医養費は、蓄えより多額になることもある。

今後の人生において、どれくらいのお金が必要になるかを明確に意識している人はほとんどいない。しかし、この「支払い責任」を具体的に検討してみよう。誰に対して責任があるか、その目的は何かを明確にする必要がある。子供の教育にいくら準備するつもりなのか？　大学進学はお金がかかる。最近では大学院進学も一般的になってきているが、これまた高い。教育費を負担した後で、子供の最初の住宅取得を補助するつもりなのか？　彼らの事業や歯医者になるための勉強を経済的に援助するか？　あなたの両親、兄弟姉妹その他親戚へ経済的支援をどうするか？　こうした必要総額と支出時期について、確認しておかなければならない。

投資をするには、まずお金を貯める必要がある。貯蓄がなければ、投資はできない。どのようにお金を貯め、どうすれば賢く投資できるかを考えてみたい。

賢くお金を貯めるには

お金を貯めることは簡単ではない。我慢に我慢を重ね、自分はダメな人間だなどというような否定的な気持ちになると、特に難しい。上手にお金を貯める人は将来の自分のために、前向きにお金を貯める。そして、自分の決意や自分に満足し、貯蓄を楽しむ。

もう一つの成功の秘訣は、貯蓄目的をはっきりさせることだ。目的をはっきりさせるとやる気が出る。たとえば、10歳の子供は自転車を買う、ティーンエイジャーは大学の学費、若い夫婦は家を買うためというように、目的が具体的であればあるほどよい。

そして、計画を立てる。自転車が100ドルなら1週間で5ドル貯める。大学の学費なら1カ月で100ドル、家の頭金なら1年で1万ドルというように。どうすれば貯まるか？　いつ貯まるか？　どうすればしっかりと貯めているとわかるか？　計画どおりに行かなくなったら、どうすればいいか？　こうしたことをしっかり考えよう。

計画どおりにできているなら、自信を持って、達成に向かっていることを楽しもう！

お金を貯めることは、アスリートに似ている。たくさん練習が必要だし、楽をしては何も得られない。目の前の楽しいことに夢中になっている人もいるが、しっかり貯める人は長期的視野に立って考える。戦略を立て、具体的な方法を考えるのだ。

たとえば、外食をする時は、主菜は値段の安いものにするか、高い主菜は頼まずに前菜を二つにする。レストランへはタクシーではなく地下鉄で。外食する前に家でワイン一杯を飲んでから出かける。さらに言えば、外食をせず家で食べようと思い直す。休暇も、ニューヨークやパリに行くのではなく、家族でキャンプという考えもある。重要なことは、決めたことを言葉にすること。そうすれば、額の多少にかかわらず、貯めることが楽しみになり、目標達成を思い描ける。

目標達成には大金が必要だ。だから楽しくできる方法を考えよう。大きくて高い家ではなく、手頃なものにするのもいい。中古車を買うという選択肢もある。あるいは、現在の収入ではなく2年前の収入で生活し、その差額を蓄えるという方法もある。買い物は夫婦で行き、お互いが欲しいと意見が一致したものしか買わない。また、衝動買いをしないように事前にリストに記したものだけを買う。

順調に進んでいる時には、その結果と進捗状況を定期的に評価することも大切だ。このやり方は自分に合っているか？　無理をしていないか？　今の貯蓄額は増やしたほうがいいか、あるいは減らしたほうがいいか？　どうすれば楽しみながら何年も貯め続けられるか？

お金を貯めるにはさまざまな方法があるが、自分に合った方法を見つけ、それに従うのがよい。そうすれば、貯蓄達成の満足感と、欲しいもの、またはやりたいことができたという満足感の両方が得られる。私たちがお金を貯めるのは、人生を豊かにするためだ。将来に希望を持ち、貯蓄をしていなかった頃より充実感を感じるため、そして、自分や自分の大切な人や組織を豊かにするために、貯めたお金を投資する。

もちろん、投資をするなら、インデックス投資がよい。インデックス投資はコストが少なくてすむ。手数料、運用コストや税金が少なく、成績の悪いマネジャーからよいマネジャーへ乗り換える際にかかる高額のコストが必要ないからだ。こうした経費が積み重なると大きな金額になる。バンガード創業者のジャック・ボーグルも、「払わないお金は、自分のもの」と述べている。

貯蓄のもう一つの目的は、いざという時に備えることだ。そして必要な時には思いきって全額使う。そうした準備金は、使い切るためのものであり、準備したお金の一部しか使わないなら、もっと貯めてから使おう。

本書の中心テーマの一つは、株式への長期投資こそが最高のリターンをもたらす、というものだ。この考え方は、特に若い世代にとって重要だ。第一に、仮に年7%の利回りでも、当初の1ドルは、10年複利で2ドルに、20年で4ドル、30年で8ドルと増加してゆく。いわゆる「72の法則」だ（72の法則とは、複利で投資した場合、資産が倍になるには何年かかるかを見る計算方法。たとえば金利が10%なら7・2年、15%なら4・8年、3%なら24年かかる）。第二に、若い勤労者の最大の資産は給与収入を稼ぐ力だ。この毎年の収入は、資産を持っているのと同じ効果がある。

それでは平均寿命まで10年以下の高齢の投資家は、その残された期間を「長期」とみなすべきなのか？　従来の常識に従って、「元本」を守るために債券に投資すべきか？　いや、従来の常識は誤りだろう。

高齢者がさらに長生きすることはないにしても、相続、贈与資産としての投資そのものはきわめて長期の目的を持ちうる。子供や配偶者や学校などに贈ることで、はるかに長期間の投資が可能であり、投資期間を本人の人生の長さに限定する理由はない。ディズレーリによれば、長く幸せな生活を送る秘訣は、「将来を見ること」。株式投資は若さを保ち、頭を柔軟にしてくれる。

「己自身を知れ」

運用を一生うまくやるための、第一の課題は、「自分自身を知る」ことだ。あなたの資産・負債の目標を理解し、自分にとって何が本当の意味での成功なのかを確認しよう。アダム・スミスがいみじくも忠告しているように、「もしあなたが自分自身を十分理解していなければ、株式市場を理解するには恐ろしくお金がかかる」。不動産も商品相場もオプションも同じだ。

投資家はできるだけ時間をかけて、自分のことを、そして投資家としてどのように感じ、行動するかを知るべきだ。そうでなければ、理性で感情をコントロールできない。たとえば多くの投資家に役立つヒントを示すために、ちょっとひねったテストを紹介しよう。

質　問　あなたが投資するなら、どちらにしますか？
回答Ａ　大幅に値上がりし、何年間も高値圏にある株式
回答Ｂ　大幅に値下がりし、何年間も低位にとどまっている株式

もし回答Aを選んだなら、あなたはこのテストを行った90%の投資家と同じである。ほとんどの人と同じと聞いて安心？　とんでもない。あなたが株の売り手でない限り、回答Aはプラスにはならない。

なぜなら、株を買うことは配当を受け取る権利を買っているということだからだ。ミルクのために牛を買い、卵のために鶏を買うように、現在および将来の配当のために株式を買う。あなたが農場経営者なら、牛を買う時、より多くのミルクがとれるように、なるべく安く買いたいと思うだろう。

あなたが買う株の価格が低ければ低いほど、あなたの投資1000ドル当たりの株数は多くなり、それだけ配当金額も多くなる。つまり、こつこつとお金を貯め、今後も株を買い続けていくなら、本当に有利なのは、奇妙なことに株価が大きく値下がりし、低迷を続けることである。そうすれば、同じ金額でもより多くの株数を安い価格で買い続け、その結果、より多くの配当を得ることができる。

したがって、長期的に正しい回答は、意外なことにBである。これこそが、投資で成功し、精神的にも安定するための決め手かもしれない。よく考えれば、値下がりした市場にこそ、可能性があることがわかるだろう。

ほとんどの投資家は非常に人間的で、相場の値上がりを望み、十分値上がりした株式を

図20-1　配当の再投資が重要

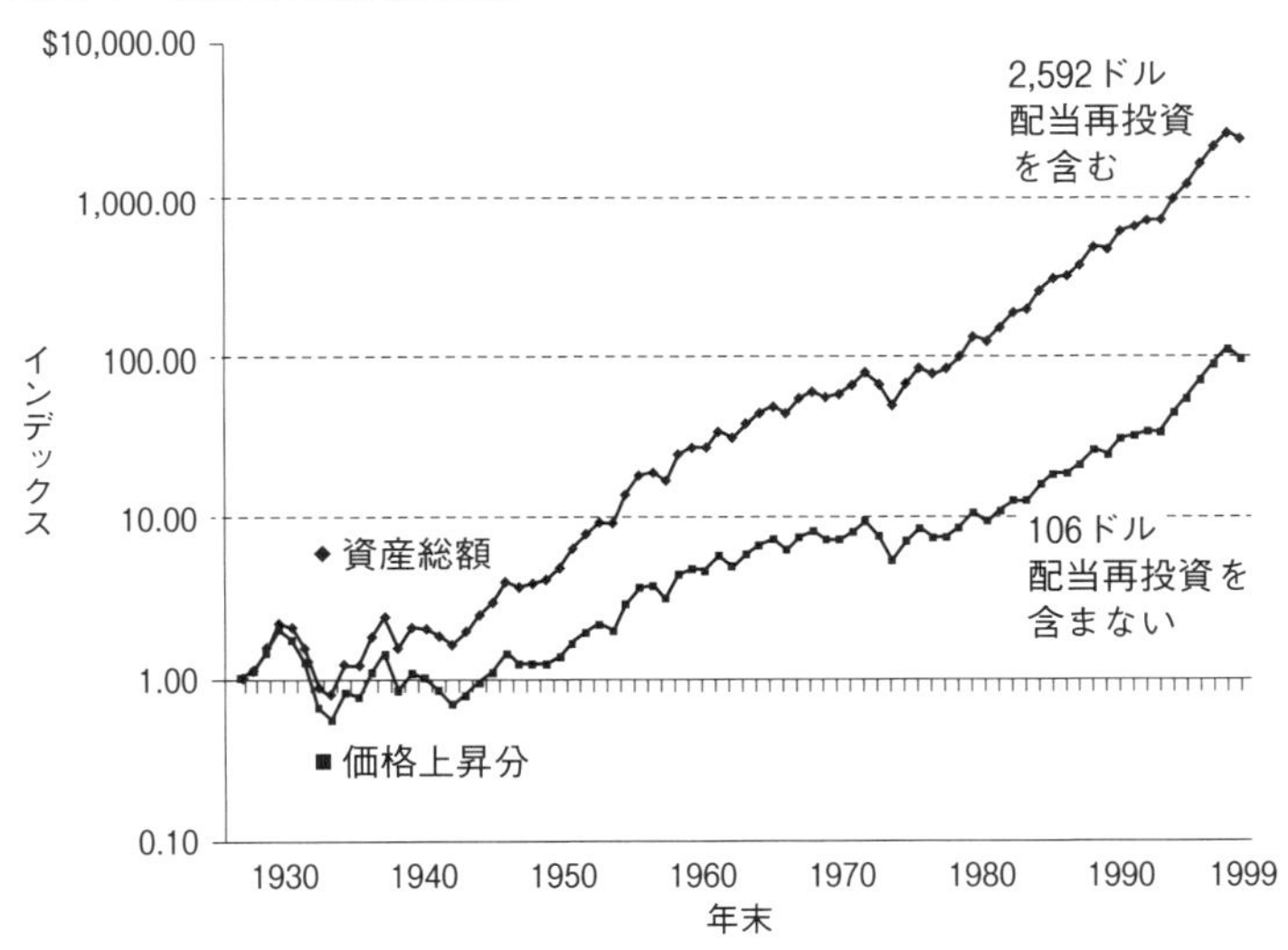

熱心に買い増していく傾向がある。その結果、配当収入からの再投資収益率を下げ、下落リスクを高めることになる。同様に、多くの投資家は株価の下落後には非常に消極的になり、株価がすでに低く、したがって将来の配当率が高いのに売りたくなるものだ。図20-1が示すとおり、72年間で、配当再投資がなければ1ドルは106ドルになっている。

投資の「十戒」

当然、市場は上がり下がりがあり、私たちは失敗しながら投資をする。しかし、取り返しのつかない大きな失敗をしないように。借金をして、投資をしてはならない。

株価が上がると飛びつき、下がると慌てて売りそうになったら、ストップ！　散歩にでも出て頭を冷やそう。さもないとあなたは群衆心理に巻き込まれて何か行動を起こしたくなる。それが間違いのもとで、後悔につながる大きな失敗になる。何もしないことが長期投資の成功の秘訣なのだ。

また、マネーゲームに一度勝利したとしても、さらなる大勝を狙って勝負に出てはならない。借金をして投資をしたり、これまで得た資金を集中的につぎ込んだりして、のめり込んではならない。勝ちたいなら、賭けてはならない。大きく負けるかもしれない勝負は避ける。しかし、勝ったからといってここで述べたような意味で、用心深くなりすぎるのもよくない。


これから述べる個人投資家のための「十戒」は、あなたが投資の意思決定を行ううえで役立つだろう。

① 貯蓄する。そしてそれを自分の将来の幸せと安定、子供の教育のために投資する。
② 相場の先行きに賭けてはならない。もしあなたが衝動に駆られ、どうしても相場を

見ながら売買するというなら、相手はプロであることを自覚すべきだ。投資額はラスベガスでプロを相手にギャンブルする際の金額程度に抑えたほうがよい（勝負の結果を正確に記録していけば、あなたもすぐに降りたくなるだろう！）

③税務上有利という理由で動いてはいけない。そうした商品は投資対象として魅力はない。企業の税務上の損金を節税目的で商品化したものは（訳注：日本にはほとんどないが）、証券会社の手数料を増やすだけだ。ただし例外もある。自分の経済状況と、めまぐるしく変わる税制に見合った資産管理計画を作成すること。何らかの理由で株を手放さなければならない時には、低い簿価の特定寄付を行うこと。また、条件に合うならＩＲＡ（非課税の個人退職貯蓄口座）を開設し、４０１（ｋ）プランに毎年最大限拠出すること。４０１（ｋ）口座以外に資産がある場合は、資産全体の整合性を考えたほうがよい。所得税を抑えるには、債券・債券ファンドを非課税口座に組み入れる。

④自分の住宅を投資資産と考えてはいけない。住宅は家族の生活の場であり、それ以上のものではない。多くの人が２００８年の住宅価格の暴落で実感したように、住宅は金融的な意味で優良な投資対象とは言えない。しかし、家族の幸せのためには意味がある。

⑤商品取引は考えものである。コモディティ取引は、投機だ。経済的付加価値を生まない以上、投資とは言えない。

⑥証券会社と投資信託会社の担当者に気をつけること。多くの場合、素晴らしい人たちだ。しかし、彼らの仕事は、あなたを儲けさせることではなく、あなたから儲けることである。とても良心的で、長年担当した顧客の身になって、質の高い仕事をしてきた人も少なくないが、あなたの担当者がそうとは限らない。立派な担当者もいるが、なかなかそうはいかないのが実情だ。一般に、一人の証券会社の営業担当は、資産残高の合計が５００万ドル程度の顧客を約２００人抱えていると言われる。この営業担当が年間10万ドル稼ぐには、売買手数料収入として30万ドルを必要とする。これは、担当する顧客の資産合計の６％にあたる。これだけの額の手数料を生み出すには、担当者はあなたに何が必要かを考える暇はない。資金を回転させ続けなければならず、それはあなたの資金である。

⑦いわゆる新金融商品に投資してはならない。この手の商品のほとんどは投資家に保有されるためではなく、投資家に売るために設計されている。

⑧元本や利息が安全だとか、リスクが少ないという理由だけで、債券に投資してはならない。債券価格も株式と同様に変動し、さらに債券は、長期運用にとって真のリ

スクであるインフレに弱い。

⑨長期の投資目的と投資方針、資産計画を書き出し、それに沿って行動すること。最低でも10年に一度、できれば毎年それを見直すこと。

⑩直感で投資してはならない。うまくいって有頂天の時は、大火傷が待っていると思ったほうがよい。落ち込んだ時は、夜明け前が一番暗いことを思い出そう。そして、何もしないことだ。運用に売買は不要。売買はしなければしないほどよい。

第21章 投資信託、どう選ぶ？

インデックス・ファンドが気に入らない場合、二つの方法がある。自分で投資判断をするか、アクティブ運用の投信を買うかだ。本書を読み終わっても、なお自分で銘柄選択しようと思うなら、銘柄ごとにどういう期待を持って買ったのか、その結果はどうだったのかを記録しておくとよい。

証券会社は、投資助言もリサーチも、その他のサービスも無料だと言うかもしれない。しかし実際には、年間売買手数料の総額は多くの場合、投信の手数料よりはるかに高い。投資は、断じて趣味などではない。自ら投資判断をする個人の運用は、長期的にはうまくいかないという実証研究は山ほどある。そしてその収益率は非常に高いものから非常に低いものまで、大きくばらついている。つまり、多くの個人投資家の成績は惨憺（さんたん）たるものなのだ。だから一般的に、証券会社は毎年2割以上の顧客を失っている。そして顧客は損をしている。証券会社がその損を取り返してくれることは決してない。

そのため、次のことに留意する必要がある。自分の投資目的を明確化し、それを忘れずに続けること。自分に合った投資を続けるために、取れるリスク許容度を決めること。決してのめり込んではならない。自分のリスク許容度を知り、その範囲内に収めよう。「自分が困ることになるリスクは取るな」と、父が忠告してくれたように。

これまでの投資成績をしっかりと見て、そこから学び取ろう。うまくいかない時の自分の能力を見極めよう。四半期ごとの株価の動きにどう対応したかを振り返れば、自分の実力がわかるだろう。大きな不況が起きて、特にそれが長く続き、これまでになく株価が落ち込んだとしても、それを受け入れること。たとえば、2008年に45％以上も暴落した時、あなたはどう感じたか。毎日株がどんどん下がっていくという過酷な状況でどう感じ、どう行動したかを振り返ってみよう。

賢く投資をしたいなら

それでも自分で投信を選びたいなら、どのように選ぶか？　まず『マネー』『フォーブス』『ビジネスウィーク』などの有力雑誌を見て、401(k)など確定拠出型年金に使われる主要な投信をリストアップしてみよう。そして周りに詳しい人たちがいれば、その中でどのファンドの人気が高いか、何十年という期間で見てどれが好成績かを尋ねてみよう。彼らの答えは、キャピタル・グループのアメリカン・ファンド、T・ロウ・プライス、バンガードといった超一流の会社のファンドに集中するだろう。手数料が安く、従業員がそこで働く専門家のファンドに投資をする会社を選ぼう。

アクティブ運用の投信の場合、どれか一つのファンドにしぼるのは避けたほうがよい。最高のファンドを探すのではなく、株・債券などさまざまな種類の投信を供給する、優れた運用機関を探すこと。そして、次のことをしっかり見極めよう。それは一流の人が入りたいと思い、そこで働き続けたいと思う企業か？　その企業は儲け主義ではなく、プロの仕事をするか？　過去数年の成績は問題ではない。投資での長期的成功のカギは、高い専門性を求める投信会社の企業文化にある。

株価は上昇、下降を繰り返す。ファンド・マネジャーも時とともに現れ、転職していく。しかし、運用機関の経営陣の個性と企業文化は、よくも悪くも簡単には変わらない。だから、優秀な人材を30～40年にわたって惹きつけるような企業文化を探さなければならない。一貫した投資哲学を語り続ける会社を探すべきだ。長期投資なのに最近の運用成績のことばかり言う会社は気をつけたほうがよい。幹部の個性と企業文化ですべてが決まる。

要は、評価が確立し、長期的に優れた運用実績を持つ運用機関で、高度の専門のファンド・マネジャーが経営者を尊敬し、働きたいと思うような会社だ。

こうした意味で、「長く付き合えるファンド」ということが、個人投資家の投信選択の基本となる。ファンド乗り換えは、二重の意味でマイナスに働く。第一にコストである。1回の乗り換えコストは「ほんの数パーセント」かもしれない。しかし、2〜3年ごとに乗り換えれば、一生を通じた合計コストはばかにならない。第二に、乗り換えのタイミングが悪いと、その後の利益が期待できなくなることだ。ほとんどの投資家は、最悪の運用成績の後で売り、最もよい成績の時に買うものだ。個別ファンドを見ても、基準価格が最も大きく上下した後に最大規模の資金流出入が起きている。この目に見えない損失は最悪のものだ。

それではいくつくらいのファンドに投資すればよいのか？　多くは要らない。主要な投信会社の提供するさまざまな投資商品・スタイルのいくつかに分散投資すればよい。インデックス・ファンド、成長株ファンド、割安株ファンド、大型株ファンド、小型株ファンド、マネーマーケット・ファンド、不動産投信、国際分散投資などである。専門性の高い投信会社の提供するファンドであれば、どれも共通の専門的水準、妥当な手数料と投資家サービスを期待できる。投資家が信頼できる専門性と運用実績を備えた1社から、複数のファンドを選択する意味はそこにある。

賢く投資をしたいなら、投資家の目的達成を完遂してくれるようなファンド・マネジャーを擁するしっかりとした投資信託を選ぶこと。単純なことだが、実行には困難を伴うかもしれない。2~3年間、成績が市場平均を大幅に下回り、世の中ではあのマネジャーは終わりだ、と言われるような場合があるだろう。そうした時に、投資額を2倍に増やす確信を持てないようなら、そういうファンドは買わないほうがよい。

長期的に卓越した成績を収めている投資信託のほとんどは、その長期の間に3年間くらいの成績不振の時期がある。市場との足並みがそろわず、成績が落ち込んでしまったのだ。

駅の切符売り場に並んでいて、途中で列を変えても全然前に進まないという経験をしたことがあるだろう。ファンドを乗り換えるコストはばかにならない。特に、市場環境が運用スタイルに合わないような時に、当初の約束を忠実に守ってくれるファンドを持ち続ければ、長期的には十分報われるだろう。自分のやり方を大切にする優秀な投資信託とずっと付き合っていくと、株式市場の状況がよくない時でも、結局は得をする。

リスク調整後で長期的に市場平均を大きく上回るファンドは、ほとんどない。それは統計上も明らかだ。過去50年間にわたり、投資信託のリターンは年率複利で平均11・8%。

これに対し、インデックス投資は13・6%と大きく上回る。[1] 過去20年を見ても、インデックス・ファンドのリターンは全米全投信の90%を上回っている。高名なプリンストン大学のバートン・マルキール教授によると、長年の調査の結果、投信の（他のファンドとの）相対的パフォーマンスは、ポートフォリオの売買回転率とコストに依存するという。ともに少ないほどよい。これを見てもわかるとおり、成功の秘訣はインデックス投資だ。

第22章　手数料は高い！

運用報酬はこの50年間、経済原則の外にあった。これが、最近の混乱のもとともも言える。一部に問題提起の声はあるものの、ほとんどの投資家は運用手数料率を取るに足らないものと思い込んでいる。たった1％。だからマネジャー選択にあたっても、検討項目に入らない。

だが、この見方は見当違いだ。そしてこのごまかしに運用機関が気づかずにいるわけがない。アクティブ運用手数料は、一部の批判の声をはるかに上回るほど高い。資産に対する比率で見た場合、個人で1％強、機関投資家で0・5％弱だ。これは適切とは言えない。投資家はすでにその資産を保有しているのだから、運用機関の手数料は、彼らの生み出すリターンと比較すべきだ。そう考えると、手数料は決して安くない。仮に年率リターンが平均7％とすれば、手数料率は、個人で14％以上、機関投資家で7％以上になる。

しかし、これでもアクティブ運用の手数料の見積もりとしては低すぎる。なぜか？ 市場には、市場リスク並みのリスクで市場リターンを生み出す、手数料の少ないインデックス・ファンドが存在するからだ。インデックスでは個人には0・1％かそれ以下で、機関投資家には0・005％だ。

経済学の基本的な考え方によれば、インデックス・ファンドが容易に入手できる場合、その他の投資商品にインデックス・ファンド以上のコストをかけるなら、インデックス・ファンド以上の利益を得られなければ意味がない。すなわち、アクティブ運用の「真の」コストとは、ベンチマークを超える「超過収益」に対する「追加コスト」の比率となる。このように計算し直すと、アクティブ運用のコストは驚くほど高い。

たった1％の手数料も、長期間蓄積されると巨額になる。一つ例を示そう。2人が10万ドルから投資を始め、毎年それに1万4000ドルずつ25年間積み立てるとしよう。1人は手数料が1・1％のマネジャーを選び、もう1人は0・1％を選んだとする。その差は、「わずか1％」だ。25年後、両者ともに100万ドル以上得られたが、手数料0・1％の人は140万6666ドルになったのに対し、1・1％の人は114万5243ドルになり、その差額は、25万5423ドルにのぼる。

実際、リスク調整後の超過収益に対するほとんどの投資信託の手数料率を計算すると、なんと100％を超える。すなわち、すべての付加価値と、時にそれ以上が運用機関の懐に入るのに対し、資産を委託し、すべてのリスクを背負う投資家にはほとんど何も残らない。これは奇妙なビジネスと言う他ない。考え直す必要がある。

このようなビジネスが他にあるだろうか？　インデックス・ファンドで得られる便益と比較し、アクティブ運用の手数料が高すぎる現実を、いつまで投資家が容認するのだろうか？

アクティブ運用手数料の変遷

アクティブ運用手数料の歴史は、意外に興味深い。75年前、資産運用業は赤字だった。第二次世界大戦後の賃金・物価統制時代に、企業年金が福利厚生の一環として急速に拡大した時、大手銀行は企業との取引関係を維持するため、ほぼ運用手数料ゼロで運用を引き受けたのだ。

しかし、銀行には間接的な利益があった。銀行が株式売買を発注する証券会社から多額の預金を受け入れ、収益をあげられるので、年金の運用手数料をほぼゼロにすることができたのだ。この契約で証券会社は売買手数料（1株当たり40セント）を得たが、その代わりに、銀行は金額にして数百万ドルの預金を受け入れ、通常の金利で貸し出しができた。銀行も証券会社も年金のおかげで潤ったが、顧客にとってはいいことはなかった。

1960年代、DLJ、ミッチェル・ハッチンスといった一部証券会社も資産運用部門を設置し、名目的に1%の手数料を取っていたが、この運用手数料は彼らが証券会社に払う売買手数料で相殺され、彼らの手取りは事実上ゼロだった。

1960年代から70年代にかけて設立された新しい運用機関は好成績だったので、銀行や保険会社より高い手数料を取れると考えた。その期間の好成績からするとアクティブ運用の手数料は問題がないように思えた。「自分の子供が脳の手術を受ける時、ただ安いからという理由で外科医を決めるだろうか」というような言い訳をした。

1960年代後半にモルガン銀行が運用手数料として0・25%徴求すると発表すると、業界は多くの年金がモルガンを解約するだろうと予想した。だが実際に解約したのは1社だけだった。そこで、ほかの運用機関も手数料の値上げは可能と判断し、値上げに踏み切った。

これが以後50年にわたる手数料増加トレンドの始まりだ。投資家は、運用機関を正しく選べば手数料は超過収益を上回ると考えたのだ。今日においても、多くの反証が挙げられているにもかかわらず、個人も機関投資家も、自分が選んだマネジャーは、市場平均を大きく上回ると期待している。手数料が低いと見られる所以だ。

投資信託と年金ファンドの資産額はこの数十年で何倍にもなったが、アクティブ運用の手数料は3倍にも4倍にもなった。これは経済学の法則に反する。だが、このおかげで投資ビジネスは大きく儲かるようになった。給料が高く仕事も面白いので、修士号や博士号を持つ頭のいい人たちが参入してアナリストやポートフォリオ・マネジャーになり、競争が激しくなった。

こうして高度に訓練された優秀なプロフェッショナルが世界中で激増し、競い合うようになった結果、50年前にはわずか5000人だったその人数は、現在50万人から100万人いると見られている。特に20世紀の最後の四半世期は市場が活況で高いリターンを得ることができたので、誰も手数料に関心がなかった。手数料なんて大したことはないと思っていたのだ。

投資の手数料は、他の手数料とは違う。支払額を小切手に書いて支払うという実際の支払いがない。手数料は密かに自動的に差し引かれ、慣習上ドルではなく、資産から見ると少なく見えるパーセンテージで表されている。

だが、現在のリターンは低く今後も多くは望めないので、これまで見過ごされてきた手数料についても注目されるようになった。資産高を基準にする手数料は、この50年間で個人投資家も機関投資家も4倍に増え、飛躍的に伸びた。一方で、市場に対する投資結果は伸びるどころか悪化した。株式市場のさまざまな変化の結果、特に技術力のある競争相手が急激に増えたことにより、多くのアクティブ・マネジャーは、コストと手数料をまかなうほどの成績をあげられなくなっている。

手数料がすべてではないが、手数料は重要だ。増加リターンに対する増加コストを分析すると、運用機関の手数料は大きい。だから、個人投資家も機関投資家もインデックス・ファンドとETFへの志向を強め、これらの運用機能を持つ運用機関の資産が増加してきたのも無理はない。

一つだけ明らかなことがある。全くないとは言わないが、インデックス投資を始めた人がその後、アクティブ投資に乗り換えることはほとんどない、ということだ。利益が出るかもわからず、長期的には深刻なリスクがあるものに、10倍もの手数料（や税金）を払う必要があるだろうか。

一方、アクティブ運用のトッププロたちは、現在の世界的に高騰した運用手数料はバブル状態ではないか？　今後、手数料低下が業界を悩ますのではないか？　そう考えておく必要があるだろう。

第23章 生涯を通じた投資プランを立てよう

言うまでもなく、死は誰にでも必ず訪れる。しかし、投資家としては、それにこだわりすぎてもいけない。もし資産の多くを子供や孫に残すつもりなら、あなたが現在70代ないし80代だとしても、家族という単位では十分長い投資期間をとることができる。したがって、「高齢者は利息収入と元本維持のために、債券投資をすべきだ」とか、「株式への配分比率は、100から年齢を引いた数字」といった助言は必ずしも適切ではない。

あなたと家族にとって、より効率的な意思決定は、100%株式に向けることだ。私は83歳だが、そうしている。あなたの投資対象期間はあなたの人生よりもはるかに長いのだ。家族や大学などの施設はあなたの人生より長く存在するので、運用期間はあなたの生存期間だけでなく、家族の人生やその施設の存続期間をカバーする必要がある。

たとえば、今あなたが40歳で、5歳の息子がいるとすれば、運用期間は単に平均余命の

40年か50年ではなく、息子の平均余命である80年以上となるだろう。また、75歳でも小さな孫がいたり、あるいはどこかに寄付をする予定なら、運用期間は同じように長くなる。

私たちは必ず死ぬ運命にあるが、私たちのポートフォリオはそのことを知らないし、また気にも留めない。アダム・スミスの「あなたの株は、あなたが持っていることを知らない」という優れた教えに注目したい。この見方は株、債券、不動産などすべての投資にあてはまる。これらはすべて誰が所有しているかにかかわりなく、現在と将来の価値を持つ。

だからこそ、運用はそれ自身の理由に基づいてなされるべきで、年をとったからとか引退したからという理由で、運用方針を変えるのはおかしい。引退時あるいは80歳の誕生日だからといって、好みの画家を変えることはないだろう。運用も同じだ。資金がある限り、自分の決めた方針を堅持しよう。

「市場リスク」と「インフレ・リスク」

さて、すでに強調してきたように、複利の効果は驚くほど強力だ。それを物語る中東のおとぎ話がある。

一人の王様が自分の帝国の危機を救った将軍に感謝して、「何でも望みどおりの褒美をとらせよう」と言った。将軍は遠慮深く、チェッカー盤（縦横8マス）の1マスに小麦1粒、次のマスに2粒、第三のマスに4粒、次は8粒と順番にマスを埋めてください、とだけお願いした。王様は莫大な褒賞を与えずにすみそうだと思い、喜んでこの願いを受け入れた。

残念なことに、王様は複利効果の恐るべき力を知らなかった。どんなものでも64回倍増させれば、際限なく膨れ上がる。この話では、1粒から始めて2倍、4倍とチェッカー盤を埋めていった小麦の総量は、帝国全体の富をはるかに超えるものだった。アラーの前での名誉を守るため、王様は彼の帝国すべてを将軍に差し出さねばならなかったという。

投資家が理解しなければならないのは、2種類のリスク、「市場リスク」と「インフレ・リスク」である。表23-1は、過去80年間にわたって、市場リスクを取らなければインフレ・リスクに対抗できないことを示している。上の3列は、株式の名目リターンが短期財務省証券（TB）のほぼ3倍であることを示している。ただTBはマイナスにはなっていない。下の3列のインフレ調整後の数字は、これと違う。株式の実質リターンはTBの9倍に達している。

さらに、リターンがマイナスとなる年の比率を見てほしい。インフレ調整前では、TBは常にプラスのリターンを示すのに対し、株式は全体の3割の年にマイナスとなっ

表23-1　市場リスクを取ればインフレ・リスクに対抗できる

1926～2006年のリターン		年平均リターン（年率）	リターンがマイナスになった年の比率	最悪のリターン
名目リターン	100%短期財務省証券	3.8%	0%	0.0%
	100%債券	5.2	9	−2.3
	100%株式	10.5	30	−43.1
実質リターン（インフレ調整後）	100%短期財務省証券	0.8	35	−15.0
	100%債券	2.1	38	−14.5
	100%株式	7.2	35	−37.3

出所：バンガード

ている。しかしインフレ調整後では、TB、株式ともに全体の35％の期間がマイナスとなっている（債券はこれより若干悪い）。

ここで言いたいのは、複利の効果がいかに富の実質価値を増加させるかということではない。重要なことは、インフレが富の実質購買力を容赦なく破壊するということだ。だから、インフレの過酷な影響に触れずに、美辞麗句で将来の「名目的」資産増加を約束し、投資家に誤解を与えるような広告やパンフレットには十分気をつけたほうがいい。1960年に100ドルだったものを買おうとすれば、今日では850ドルまで値上がりしているのだ。

投資に対するインフレの脅威は、インフレ調整後のダウ平均の推移を検討すれば理解しやすい。

- 1977年から1982年までの5年間で、インフレ調整後のダウ平均は270から100まで下落し、63％の減少となった。
- 1960年代末から1980年代前半にかけての15年間、インフレ調整後の株価は8割下落。株式投資家にとって、1970年代は、1930年代よりも暗黒の時代だった。
- 1993年ダウ平均はインフレ調整後でバブルのピークの1929年のレベル。64年間という長い期間をかけて、ダウはようやく元の水準に戻った。

資産運用計画の三つのポイント

健全な資産運用計画を立てる際、投資家は次の三つの基本問題に正しく答えを用意する必要がある。

●この計画は、インフレを考慮したうえで、引退後の適切な生活水準を確実に維持できるか？　ほとんどの人にとって、「十分な収入」とは、引退前の収入の75～80％に、インフレによる目減りを帳消しにするだけの年率2～3％の増加分を加えたものである。

●不意の支出（たいていは医療関係）、特に老齢期の支出のために十分な備えはあるか？　人が一生涯で使う医療費の8割は人生の最後の6カ月間に支出されるというが、それだけの準備はあるか？　女性は男性より長生きし、また、妻が夫より年下であるケースは少なくない。したがって、多くの既婚男性は、自分が先立った後の妻の生計を特に気にかけている。

●遺産額は、相続人や遺贈先の数、および自分の意図や計画に十分見合っているか？

もしこれらの重要な質問に十分に答えられないなら、計画を抜本的に見直し、変更すべきだ。今すぐ始めよう。まず、運用目的と目的達成の時期を書き出そう。そうすれば、目標に対する進捗状況を確認できる。

運用のあらゆる局面で、主役となるのは時間だ。たとえば子供の大学進学、遺産の受け取り、引退などといった出来事に合わせて運用しても、必ずしもよい結果をもたらすとは限らない。運用の「時期」と「方法」とを明確に分けて考えなければならない。市場はあなたの希望や計画には全くおかまいなしに動く。市場に合わせるべきはあなたであって、市場はあなたに合わせてはくれない。

最適な運用計画は生涯を通じて一、二度変更されてもおかしくない。投資環境や資産状態の変化、目的や価値基準が変わることによっても変更する。しかし、よく考えられた計画であればあるほど、また時間をかけて検討したものであれば、時がたっても大きく変更する必要はないだろう。もちろん、「計画」は「実行」が伴って初めて意味を持つ。

まずすべきことは言うまでもなく、借金を返済すること。大学の学費ローンや住宅ローンを完済した時は、天にも昇る気持ちだろう。

借金返済のカギは明らかである。貯蓄だ。生涯を通じた貯蓄習慣こそが貯蓄の基本だ。つまり、支出をできるだけ抑え、少しでも先に延ばすこと。収入がなんとか支出に追いつくと期待しても、まずはうまくいかない。それより、定期的にお金を積み立てること。「他人様よりまず自分に支払え」という教えのとおりだ。株の価格に左右されないように、毎月決まった額で投信を買い、あるいは銀行口座からの自動引き落としや給与天引きで毎月一定額を積み立てる仕組みは、よい方法だ。勤務先に確定拠出型年金制度があれば、限

表23-2　70歳以降、毎年3万5000ドルの支出を可能にするには

単位：ドル

あなたの現在の年齢	30	35	40	45	50	55	60
70歳時点の所要金額	300万	250万	210万	170万	140万	110万	94万
現在の貯蓄残高	目標達成のために必要な毎年の貯蓄額						
0	6,890	9,248	12,524	17,217	24,300	36,004	58,995
10,000	5,868	8,211	11,463	16,116	23,125	34,689	57,367
25,000	4,334	6,656	9,872	14,463	21,363	32,717	54,926
50,000	1,777	4,064	7,220	11,709	18,427	29,430	50,857
100,000	0	0	1,916	6,201	12,554	22,856	42,720
250,000	0	0	0	0	0	3,315	18,308

度額いっぱい使うべきだ。特に、事業主のマッチング（従業員の拠出と同額拠出する制度）を使わない手はない。

計画的に資金調達することと受け身で借金せざるを得ないのとでは、大変な違いがある。十分な返済余力があれば、借り入れしても何ら問題はない。しかし、受け身の借金の場合は、貸し手の決めたものを借り、そして貸し手の命令に従って返済しなければならない。「借金をしていること」と「ローンを組んでいること」が決定的に違うのは、この点である（この2種類の借り入れの違いのように、積極的な引退後の生活と単純な年寄りの生活とは異なる。前者は旅行、読書、スポーツ、その他好きなことに時間を使うが、ただ単に年をとるだけなら昼も夜も体の節々が痛むだけだ)。

表23-2は、インフレについて重要なメッセージを伝えている。上から2段目の「70歳時点の所要金額」は、引退後にインフレ調整後で毎年実質3万5000ドルの支出を可能とするために、70歳までに貯蓄しておくべき金額(もし年間7万ドル必要なら、この数字を2倍すればよい。10万5000ドル必要なら3倍する。以下同様)。表の読み方は次のとおりだ。

- 1段目から、あなたの現在の年齢に合った欄を探す
- 「70歳時点の所要金額」は、70歳以降毎年インフレ調整後で3万5000ドル使えるように、積み立てておくべき資産額である
- 一番左のゼロから25万ドルまでの「現在の貯蓄残高」欄は、70歳まで非課税で年率10%の複利で運用される金額を示す(10%は計算しやすいが、もちろん高すぎる)
- 表は、あなたの資産積み立て目標を達成するために、毎年いくら貯蓄し、積み立てるべきかを示している
- 70歳の引退後の平均運用利回りを7%と仮定すると、90歳で計算上資産額はゼロになる(しかし、90歳以上生きる人もいる)

表23−2をもう一度見てほしい。仮にあなたが35歳だとすると（表の左から2列目）、70歳になった時、毎年3万5000ドルを得るには250万ドルが必要だ。縦の枠はあなたの現在の資産額のレベルに合わせて、目的達成のために必要な毎年の貯蓄額を示している。

この計算は、次のようにやや楽観的な前提に立っている。貯蓄はすべて401（k）プランのような非課税口座で行われ、70歳の引退まで年率10％の複利で運用される。現在の市場レベルを考えれば、この前提は100％株で運用してもなかなか難しいが、不可能ではなさそうである。しかし、債券で運用していてはまず無理だろう。

資産運用シミュレーションの例

数学の時間に、xyを使って問題を解いたことを覚えているだろうか？　xyzの三つの未知数を解いたことは？　投資はもっと複雑な問題を解くようなもので、五つの未知数があり、それぞれいつも変化している。その未知数とは、次のとおりだ。

- 運用利回り
- インフレ率
- 必要支出額

●税金
●運用期間

ここで、100万ドルを持って引退した恵まれた人の資産が、35年後にいくらになるか、シミュレーションした結果を紹介しよう。[1] いろいろな投資手法で計算してみた。前提の名目複利収益率は明らかに高い。株式は11・8%、債券は7・9%、短期財務省証券は6・8%。理論上の資産額は次のように一見バラ色である。しかし、実は全くあてにならない。

株　式	5500万ドル
債　券	1550万ドル
短期財務省証券	1070万ドル

どの証券も大成功に見える。しかし、税引き後で見ると次のような結果になる。

株　式	3020万ドル

債　　券　　　　　　　　６６０万ドル
短期財務省証券　　　　　４４０万ドル

税金の影響は、債券・短期財務省証券において著しい。強調しておきたいのは、ここで前提とする税金は、最低限のものということだ。連邦税のみを払い、地方税は考慮していない。また、これ以外に課税所得を持たず、節税のために夫婦で連名の申告をしているという前提だ。１００万ドルを運用するような人であれば、実際の税額は確実にこれより高いだろう。

さて、ここでインフレの影響を考え、名目値を実質値に修正してみると、さらにがっくりくる。この同じ35年間のインフレを調整した結果は次のとおりだ。

株　　式　　　　　　　　５４０万ドル
債　　券　　　　　　　　１２０万ドル
短期財務省証券　　　　　80万ドル

インフレは、投資家にとって税金よりはるかに深刻な問題だ。実質購買力で見れば、債券は一世代の間に運用してもわずかに元本を20%上回るにすぎない。そして短期財務省証券に至っては、20%も減価する。税金とインフレが、恐るべき「金融市場の海賊」と呼ばれるのも、無理はない。

さらに、投資信託の経費や売買コストなど、現実の保有コストまで含めると、採算は一段と悪化する。通常、現金を管理する典型的なマネーマーケット・ファンドでさえ年間0・5%、債券ファンドでは1%、株式ファンドは1・5%の経費がかかる。100万ドルを運用してこれらのコストを控除した手取りは次のとおりだ。

株　式	180万ドル
債　券	75・5万ドル
短期財務省証券	58・9万ドル

最後に、2008年から09年にかけて思い知らされたとおり、長期間ここで述べた「平均」利回りを実現することは容易ではない。相場が下落し、インフレがあなたの資産を食いつぶしても、断固としてその投資を継続するだけの不屈の精神を必要とすることを覚えておこう。

支出に応じた運用計画を立てよう

一方、支出の仕方も大事だ。ここでも時間の役割がすべてである。よく知られる二つの支出ルールを比較しよう。第一のルールは、毎年の支出を、たとえば5%など、資産の一定割合にとどめることだ。

もう一つの支出ルールは、「配当、利息という定期的収入の範囲内に支出を抑える」こと。この場合、当初支出額は、先の5%のケースよりかなり少なくなる。しかし、企業収益の増大とともに配当は増えるので、いずれこれは逆転し、支出できる額は多くなる。複利の効果がここでも働く。

特に気をつけるべき点がある。債券やいわゆる利回り株に投資する比率が高ければ高いほど、当面ポートフォリオからの収入は増える。しかし、現在の利回りが高いと見えるうちの一部は、まさしく元本減少リスクに対するリターンなのだ。たとえば、いわゆるジャンク債で8~10%の金利がつくのは、かなりの確率で起きる倒産による損失カバー分を含んでいる。

では、どうすればよいか？　引退後はとにかく安全第一で、毎年の支出額を資産の4%以下に抑えることだ。インフレに備え、過大な支出を抑えるためだ。どうしても5%必要なら、さらに工夫がいる。引退時に5年分の支出額に見合う金額を中期債で手当てし、残りを株式に向ける。1年たったら、また1年分を株から債券に振り替える。相場が本当に急騰していると判断すれば、2年分、極端な場合は3年分を振り替えるという考え方もあるだろう。なんだ、マーケット・タイミングじゃないか、と見る人もいるだろう。そう、マーケット・タイミングだ。相場の逆張りは悪くない。

毎年資産の6%を支出する計画は、インフレを考えると多すぎる。生きている間に資金は底をつくだろう。6%では足りないなら、生活を切り詰めること。

資産額は過去から現在、現在から将来へとつながっている。たとえば、あなたは資産の4%か5%というような毎年の支出予定額や、その支出に対応した収入を生み出すために必要な資産額を試算できる。まず、現在の資産額と今後の貯蓄見込み額を計算する。次に、現実的で有効な運用計画を通じて、資産形成目標を達成できるかどうかを検討する。最初の計画がうまくいかないようであれば、毎年の貯蓄額を増やすか、もう少し長く働いて貯蓄を増やすか、支出を減らすかを考えよう。注意してほしい。楽観しすぎてはいけない。貯蓄の比率、期待利回り、支出見込みなど、個々の前提数字は控えめに設定したほうがいい。

生計を運用収益に依存する人にとって、広く分散したファンドの株式配当は原則として減ることはなく、一般にインフレ率と同程度には成長するので、ありがたい存在だ。

引退後の生活水準を維持するために、貯蓄し、追加投資すべき金額の大きさを見て驚くかもしれない。引退後の生活には、たしかにお金がかかる。これは、私たちが両親や祖父母の世代より長生きするようになったからだ（医療費も高騰している）。

死が意味する両刃の剣のような皮肉について、私たちはよく考える必要がある。もし死が予想より早く訪れた場合、長年にわたって蓄積してきた資産の少なくとも一部は、本人が使えなくなる。反対に、計画より死の訪れがはるかに遅い場合、貯蓄資産は底をつき、惨澹たる状況に陥るかもしれない。慎重さは大事だが、倹約しすぎるのも考えものだ。貯蓄しすぎることもありうるのだ。あなたを愛している人たちは、資産をたくさん残すために、あなたに貧しい生活をしてもらいたいとは考えていない。

「運用を考える日」をつくろう

さて、年に一度、誕生日でも元日でも、特定の日を「運用を考える日」と決め、1時間くらい静かに考え、次のような質問に対する答えを文書で整理することをお勧めする（最初の計画策定の際は数時間を要するだろうが、その後は前年書いたものを見直すだけで、1、2時間もあれば十分だ。その1週間くらい前に、前年のプランを読み返しておけば、1、2時間もかからないはずだ)。これらの質問は、自分の目的を確認し、明文化するうえで役に立つ。

●引退後の生活を送るうえで、年金、社会保険以外に、どれくらいの収入が必要か?
●引退後の人生を何年と考えるか?(つまり、あと何年生きるか。医者と相談し、両親、祖父母の寿命と平均余命とを勘案して、遺伝的に見た見通しを立てる。また、あなた自身の健康意識、現代医学の発展等を考慮して適宜修正する)
●どの程度の支出水準であれば、十分生活できるか、また、なんとかやれそうか?
●引退後の生活の準備として、どの程度の資産を用意すれば十分か?
●自分自身と配偶者の医療・介護費用を、インフレ調整後ですべてカバーするには、どの程度の保険に加入すればよいか?
●家族の一人ひとり、その他特別な人に対する遺産として、どの程度を考えるべきか?
●社会への寄付を考えるとすれば、どの程度の資産が必要か?

次に、多くの人がこの一連の作業の中で最も難しいと考える投資の長期平均期待収益率の予測方法について、簡単な解決法を説明しよう。

まず、各資産のインフレ調整後の超長期平均年間収益率を、ほぼ次のとおりと見る。

株　式　　6・5％
債　券　　2・5％
短期財務省証券　1・25％

第二に、超長期の市場の動きを理解し、それに基づいて行動すること。大切な意思決定ルールは、次の二つだ。①10年以上投資を続けるなら、株式がよい。債券投資は市場の変動から資産を守るのではなく、不安を和らげるだけだ。②2、3年以内の投資先としては、マネーマーケット（短期金融市場）商品がよい。

第三に、以下の項目を含め、運用資産の一覧表を用意する。株式、債券の投資残高、住宅の実質価値、個人年金、退職制度に基づく貯蓄の残高などだ（まだ働いているなら、今後の預金額も）。

第四に引退後の収入額を確認する（勤務先の人事部、個人向けの会計士に相談すればよい）。明らかな収入源は、年金給付、社会保険、資産の運用収益の三つだろう。

第五に、家族への遺贈、社会への寄付の金額を決定する。

長期の資産運用を行ううえでは、相場の上下に気を取られず、ジタバタしないことが何より大事だ。長期方針を十分検討したうえで決定したら、それをしっかり守っていくことだ。

一流のポーカー・プレーヤーの間では、「神経質な金は勝ったためしがない」ということが広く知られている。彼らはよくわかっているのだ。同様の面白い例として、スキー・リゾートで名高いコロラド州ベイルのある保育所では、過去の経験から、保育料を次のように設定している。「お子さんを1日預かる場合　10ドル」。心配性の親のために、次のような料金設定もある。「親も見守る場合　15ドル」「親が手助けする場合　25ドル」

最後にひとこと。資産全体から見て大きい金額の運用について決める時は、その前にシェイクスピアの『リア王』を読まれることをお勧めする。

第24章 またもや大暴落

2020年3月、世界の株式が突然30%落ち込んだ。特にサービス業では多くの人が職を失った。新型コロナウイルス（COVID-19）が全世界に死や病をもたらしたからだ。準備不足と政府の対応の悪さが、事態をさらに悪化させた。経済は停滞し、失業率は急上昇、そして世情不安となった。

マドフの巨大詐欺事件の教訓

2008年12月11日、バーナード・マドフの運用するヘッジファンドによる巨大な詐欺事件が発覚した。友人からのインサイダー情報をもとに、年率10%以上のリターンを稼いでいたファンドだ。8000人もの人がマドフによる大掛かりな詐欺の餌食となった。被害金額は、500億ドルにものぼるとされる。騙された人たちにとってはとんだ災難だった。

マドフは、リスクを抑えるために特殊なデリバティブを活用していると言って、競争相手に真似をされるという理由で、その運用内容を一切説明しなかった。彼は個別株を買う一方、そのプット・オプションとコール・オプションを売ると主張した（コール・オプションの売りは一定以上の値上がり益を放棄し、プット・オプションの売りは一定以下の値下がり損を引き受ける）。マドフはNASDAQ会長を務め、SECの専門アドバイザーに何度もなり、多くの慈善団体の理事も務めていたが、この運用手法の秘密を守るために事業関係者を身内に絞った。会計監査はたった3人しかいない小さな会計事務所を使い、彼の保有する証券会社ですべての売買を行ったのだ。

1920年代のチャールズ・ポンジ同様、解約する投資家への資金には、内部留保からではなく、新規投資家の流入資金を充てていた。年率10％のリターンとは、約7年で資産が倍増するということだ。多くの人が自分の資産が確実に何倍にもなると信じて、マドフに資金を預けた。実績を見ても、1992〜2008年までの16年間にマイナスとなった月は11回だけだった。

このマドフの巨大詐欺事件から得られる教訓は何か。信じられないほどの好成績という時は、どこかおかしい。信じてはいけない。たしかにマドフは魅力的で、謙虚で、頭もいい。友人の友人からの紹介もあっただろう。誰もがマドフは信用できると思ったのだろう。10％の利回りは魅力的だが、疑問は残る。ＳＥＣにはたびたび情報提供があったものの、不法行為は見つけられなかった。マドフは慈善団体やその他影響力を持つ団体に多くの友人を持っていた。

国家を破綻させたアイスランド金融危機

２００８年10月6日、人口わずか32万人の、北極圏に近い、世界から隔絶した小さな国が、金融危機の震源地となった。国民は、歴史的に幾多の苦難を乗り越えてきたこともあり、勤倹貯蓄で頑固なことで知られている。年金制度も完備している。しかしこの日、ホルデ首相は、アイスランドは実質的に破産し、三大銀行を国有化したと発表した。

それまでの数年間、アイスランドはバブルだった。しかし、突然すべての借り入れが止まり、為替取引も停止された。国家は破綻し、三大銀行と多くのアイスランド企業、国民は破産に追い込まれ、世界の金融市場でアイスランド通貨のクローナの取引は停止された。担保価値の１００％まで貸し出すという銀行の積極的な貸し出し方針があったので、多くの若者は家、車、家具などをローンで買っていた。インフレが20％にまで跳ね上がったため、年金は突然半減され、さらに削減された。

国営銀行が民営化されて以来、現在までの7年間で、アイスランドの金融機関は海外から750億ドルを調達した。この数字はGDPの数倍にのぼり、国民1人当たり25万ドルに相当する（比較のために言えば、アメリカの7000億ドルにのぼる金融救済の公的資金は、GDPのわずか5％にすぎない）。アイスランドの強欲な海外資本に対し、あるいはこの国の規制の甘さに対し批判が高まった。しかし、歴史上、これほどの規模の海外借り入れに沈んだ国はなかった。

政府の指導者は、テレビでこう呼びかけた。「国民の皆さん、今こそアイスランド国民が一致団結し、勇気を持って困難に立ち向かう時です。この嵐を乗り切るために、われわれにとって最も大切なものを守り抜かなければなりません。展望は暗くても、家族でよく話し合い、希望を捨てないように。子供たちにはこの世の終わりではないこと、そして未来を見つめる勇気を持つべきことをきちんと説明すべきです。アイスランドらしい希望と勇気、団結心を持って、この困難を克服しましょう」。アイスランド中が静まり返った。

イギリスと欧州大陸の預金者、個人、慈善団体、市町村を合わせると、50万を超えていた。その損失は150億ドルにのぼり、アイスランドや銀行に同情の声をあげる者はなかった。この損失を取り戻すには、数十年以上かかるだろう。

「ブラックスワン」を忘れるな

マドフとアイスランドのケースは、2008年や2020年の世界的な市場崩壊とは、ある一点において決定的に違う。マドフとアイスランドでの損失は巨額で回収不能であるのに対し、市場は回復するという点だ。つまり、株式投資における最大のリスクは、相場の暴落ではなく、恐怖に駆られて相場の大底で保有株を投げ、その損失を確定してしまうことだ。大暴落が起きるたびに、ほとんどの投資家がこの落とし穴にはまる。

言うまでもなく、市場価格は買いと売りによって決まる。価格を天井まで押し上げるのは、無数の投資家が、借入金も含めて最大限の資金を使い、株を「買い」に走るためだ。一方、相場が最低水準まで暴落するのは、継続的で集中的な最大の売り圧力だ。2008年秋と2020年春に、世界中でまさにこうした事態が発生した。

そもそも2008年の金融危機は、強気の経済と企業業績の明るい見通しから、人々がリスクは低いと確信したことから始まる。世界の株式市場でも、価格は割高ないし適正という水準が続いていた。割安株はほとんどなかった。経済と企業業績が順調に成長していれば、こうした価格は妥当と言える。しかし、史上まれに見る「将来への期待」が覆った途端に、借り入れで水ぶくれになっていた個人、機関投資家、銀行、政府、すなわち世界の金融システムが逆回転することになった。

市場への信頼は失墜し、金融機能は崩壊した。諸悪の根源はアメリカにおける大規模なレバレッジ、つまり、借り入れを利用した投資拡大だった。具体的には安易な借り入れ条件、低金利、デリバティブ、ヘッジファンドのレバレッジ拡大、ウォール街の証券会社の借り入れ規制緩和などだ。

共和党は経済の規制緩和を推進し、民主党は国民の住宅保有政策を積極的に進めた。彼らはファニーメイ、フレディマックといった政府機関からの住宅ローン支援拡大のために規制を緩和した。ついには、収入も仕事も資産もない人にも、住宅価格上昇をあてにしてローンを貸し付ける、いわゆる「ニンジャ・ローン」まで開発した。こうした怪しげな住宅ローンを集めて証券化した商品が、世界中の投資家に販売された。倒産保険があるとの理由で、高すぎる格付けが付されていたからだ。この倒産保険もひどかった。モーゲージ債が暴落すると、その損害は瞬く間に世界中に広がった。

それが市場心理を悪化させ、さらに景況感を悪化させるという悪循環となった。市場への信頼感が消え、信用格付けはインチキだということになり、証券価格も下がりつづけた。ヘッジファンドは借り入れが難しくなり、誰もが売りに走った。投資家がこうしたファンドから資金を引き揚げたことで、売り圧力は増幅した。巨大金融機関が次々と破綻に追い込まれ、政府の救済案も挫折した。生き残るための成り行き売りと、さらなる膨大な投げ売りの恐怖が落ち込んだ市場を支配した。14カ月でアメリカ株式市場の価値は半減し、時価総額で7兆ドルを失った。

信用格付け会社は、サブプライム住宅ローンの証券化商品のリスクを十分に理解せずにトリプルAの格付けを与えたことについて、厳しく糾弾された。GEのような超優良企業でさえ短期借入手形の借り換えができず、リーマン・ブラザーズは破綻し、金融市場は大混乱に陥った。ワコビアとワシントン・ミューチュアルは手当たりしだいに合併相手を探したのちに、救済された。最大手の保険会社AIGは国有化された。同様の危機が、商業銀行、中央銀行、そして各国へと次々に広がった。

投資家は、「さあ、どうする?」という難問に迫られた。これは、リスクの本質的な意味を問いかける出来事でもあった。昔から、リスクとは負担限度を超えた恒久的な損失をもたらすものだ。マドフやアイスランドのケース、そしてリーマン・ブラザーズなどの破綻が、そのことを示している。「安全資産を求めて」投げ売りし、市場暴落による損失を確定してしまった個人もこれに属する。

長期投資で最もやってはいけないことは、株を売り払うことだ。これは家畜が逃げ出してしまった時に、小屋の扉を閉じてしまうようなものだ。ウォールストリートの業界用語に、「ブラックスワン」という言葉がある。黒い白鳥はほとんどいないが、それでもたまに発生するという意味で使われる。

第25章 401(k)に加入する際のアドバイス

老後不安を放置していれば、今後さらに大きな問題となる。経済的に上位3分の1に入る人は大丈夫だと思うが、それ以外の人にとって、特に下位3分の1の人においては深刻である。この層の人々にとって特に大きな問題は、老齢、貧困、孤独。問題の発端は、1950年代初頭の社会的不公平に由来し、その不公平を私たちが推し進めてしまったことにある。これはやがて政治的、社会的な痛恨の種になるだろう。だがそうなっては困る。すぐに対処すれば、今からでも解決できる。

401(k)の主な問題は、発案者の意図したものではなかった。問題は、それをどう実行するかだ。多くの場合、重要な決定は会社の専門家ではなく、従業員一人ひとりが行う。それなのに、彼らは大切な決定に際し、何のトレーニングも受けず、準備もせず、また対応できるスキルも持たない。そして私たちは、あらゆる段階において、人間らしいさまざまなミスを犯してしまう。

401（k）の不足をどう補うか

401（k）の加入者は、次の8段階において間違いやすい。①会社のプランに参加しない、②自分の出資額と同額を会社が支援してくれるにもかかわらず、その手続きをしない、③給料が増えても出資額を増やさない（本来は給料の12％かそれ以上が望ましい）、④401（k）を担保にして借金をしたり、転職時に解約したりする、⑤市場が動くと、高値で買い低値で売るというように、慌てて売買してしまう、⑥「なんとかなる」と思って、若くして退職する、⑦退職後にお金を引き出し過ぎる、⑧老後の医療費と生活費が高いことを考慮しない。

その結果、どうなるだろうか？　この問題を放置すれば、多くの人は退職後、豊かな老後とはとても言えない苦しい生活に陥る。貯蓄額に対して「長生きし過ぎ」てしまい、老後資金が尽きる。アメリカンドリームどころか、一人ぼっちで、再就職するには年をとり過ぎてしまい、経済的に苦しくなる。その後も、医療費と生活費にお金はさらに必要になる。そして、「こんなことになるとわかっているなら、どうして言ってくれなかった？」と怒る。

表25-1　希望者のみ不参加の仕組みに変えた結果

	希望者のみ参加する仕組み	希望者のみ不参加の仕組み	参加比率の変化
全体としての参加の変化	75%	95%	+20
会社が同額拠出する(プラン)	70%	95%	+25
時とともに拠出を増額する	30%	80%	+50
会社が運用手法を提案する	30%	90%	+60

出所：バンガード

だが、行動経済学の教訓を生かし、主要企業は素晴らしい方法を見出した。プランに参加するかどうかも含めて個々の従業員に複雑な判断を任せず、従業員を最善の道へと導くやり方だ。個々の従業員は、示された方法を受け入れるか、受け入れないかを決めるだけでいい。この簡単な変更は、401(k)に参加する従業員の数を飛躍的に増やした。この方法によって、何百万人もの労働者が豊かな老後を過ごす準備ができるようになった。

表25-1は、希望者のみ参加の仕組みから、希望者のみ不参加の仕組みに変えただけで、参加率が目覚ましく伸びた様子を示している。

二つ目の問題は、多くの人は65歳が正しい退職年齢と思っていることだ。歴史に学び、未来を考えよう。65歳定年制は今や時代遅れと言わざるを得ない。危険な考えでもある。

65歳定年制は、1880年代のドイツ、ビスマルクの時代に始まったものだ。当時の移動手段は馬で、生まれたての赤ちゃんの寿命は45歳だった（18カ月まで育つと、65歳まで生きられた）。これはドイツやイギリスの昔の例だが、アメリカが1935年に社会保障計画を始めた時、65歳時点での平均寿命は71歳だった。現在の平均寿命はさらに延びている（25％の夫婦は、一方もしくは両方が90歳代になるまで生きる）。

確定給付から401（k）へと移行した今日、ずっと同じ会社で勤め上げる人はほとんどいない。ということは、連続性が必要だ。そしてコストも気になる。現実を受け入れるのも大切だが、どうすれば401（k）の欠陥を補えるかを考えなければならない。平均年収に満たない給料の人にとって、蓄えることは特に難しい。そしていくら蓄えるかを決めることは、誰にとっても難しいものだ。

ずっと先の将来に向けて、長期間賢く投資し続けるのは簡単なことではない。現行の401（k）は、貯蓄額も投資方法も参加者に任されているため、投資方法が間違っていると将来大変なことになり、問題は雪だるま式に膨らんで、私たちにのしかかってくるだろう。

企業は退職プログラムをしっかり行いたい。なぜなら、よい退職制度があればよい社員を採用でき、社員の福祉だけでなく、社員のモラル向上にも寄与できると考えるからだ。４０１（k）の方法を決めるにあたり、従業員、退職者、経営者の利害のバランスをとりながら企業は独自の方法をとる。その結果、企業はさまざまな方法を採用するが、それには理由がある。まず、高水準の４０１（k）を備えている大企業は、強制加入制度をとらず、従業員は自分の意志で不参加を決めている。

多くの個人にとって退職後20年間の生活費を、社会保障費と４０１（k）の資金だけでまかなうのは無理な話だ。65歳のアメリカ人の４０１（k）の平均残高はたった12万ドル。4％ずつ引き出すと、年間４８００ドルだ。この４０１（k）と社会保障費を足しても、65歳の労働者の平均年収の6万３０００ドルには遠く及ばない。

つまり、70歳かそれ以上まで働かないと生活を維持することは無理なのだ。まず、老齢年金を見てみよう。制度変更により、この年金の受給開始は65歳から70歳に引き上げられた。政府は65歳を退職年齢としているが、希望すれば62歳から年金を受け取ることも可能だ。しかし、70歳まで働くと支給額は驚くほど増え、62歳から受給した場合と比較して76％も高くなる（この高い給付金はインフレ分が値上げされ、一生涯もらえる）。

76％も老齢年金が増えるだけでなく、70歳まで働くと（62歳までと比較して）8年間長く働くことになり、そのおかげで、４０１（k）をさらに8年間余計に積み立てられる。そし

図25-1　課税投資と税繰り延べ投資の長期的な相違
（毎年5000ドルを年8％リターンで投資する場合）

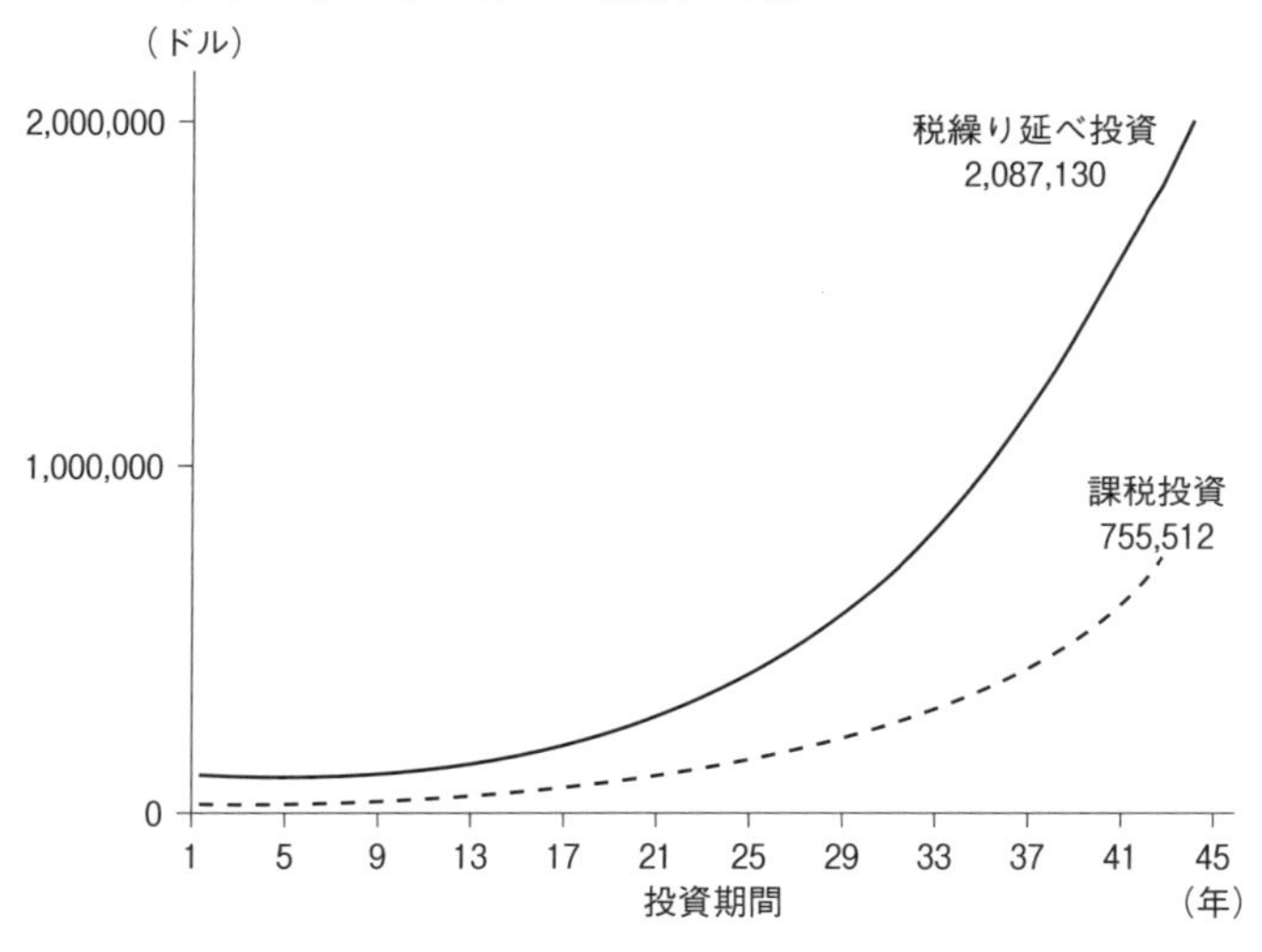

て、401（k）の積立額を倍にし、投資リターンも足すと、401（k）の積立額を倍以上にできる。投資の成果次第でこの8年間で積立額が3倍になり、36万ドルになる可能性もある。そうなると、退職後毎年1万2000ドルから1万5000ドル余分に使える。

老齢年金を76％余計にもらえ、3倍になった401（k）があると、心配せずに豊かな老後を迎えられる。この現実を見れば、あと少し頑張って働き、老後を豊かに暮らそうと多くの人が思うのではないだろうか。

豊かな暮らしを維持するために必要な額は退職時の収入の60％か、70％か、80％かという問題に関しては意見が分かれている。今後アメリカでは、どのくらいの人が退職後もお金に困らずに生活できるかということについて、さまざまな予測がなされている。しかし、専門家は、私たちが今変わらなければ豊かな老後を過ごせないだろうと口をそろえる。多くの企業が採用するようになったが、401（k）だけでは全然足りないのだ。

しかし、高齢でも働き続けることで豊かな老後を送ることができる。そして、401（k）に加入すれば、企業は自動的にあなたの積立額と同額を積み立ててくれる。その上、その分の税控除も受けられる。昇給があればその額の4分の1を自動的に預金に回し、インデックス・ファンドを使って年齢に合った投資をする。こうすれば、多くの退職者は貧困から逃れることができるだろう。

図25−1を見れば、誰でも最大限に拠出すべき理由がわかるだろう。始めるのは早ければ早いほどよく、また複利の効果も申し分ない。

401（k）に関するアドバイス

以下に、401（k）に関するアドバイスを列挙してみよう。

①会社に対する忠誠心と投資とは峻別すべきだ。勤務先の事業内容をよく知り、信頼しているという理由で自社株に投資する人が多いが、これは間違っている。その会社に勤務して収入の大半を依存している以上、リスクは分散すべきだ。

②退職後の資産は安全第一、この安全とは自衛だ。そんなことはあり得ないと思うなら、エンロンやポラロイドのケースを思い出してほしい。この2社はアメリカを代表する大企業だったが、倒産によって、100%自社株に投資していた従業員は失業し、退職金までも失った。

③運用機関を変えてはいけない。変えなくてすむ方法は、インデックス・ファンドだ。

④市場動向を見ながら投資判断をしてはいけない。10年に1回で十分だ。

⑤給料天引きの貯蓄がよい。そうすれば、簡単に蓄えられる。そして給料が上がるたびに、天引き額も増やすとよい。

⑥あなたの子供や孫も早く始めたほうがいい。子供や孫が収入を得るようになれば、その一人ひとりに（彼らの収入を上限として）あなたは年間5000ドルまで拠出できる。ところで、若い401（k）加入者の多くが引退まで何年もあるにもかかわらず、マネーマーケット・ファンドなどの低リスク運用を選んでいるのは気になる。これは、貯蓄であって投資ではない。引退後の資金確保について、もっとよく考え

図25-2　運用手数料等の資産価値への影響

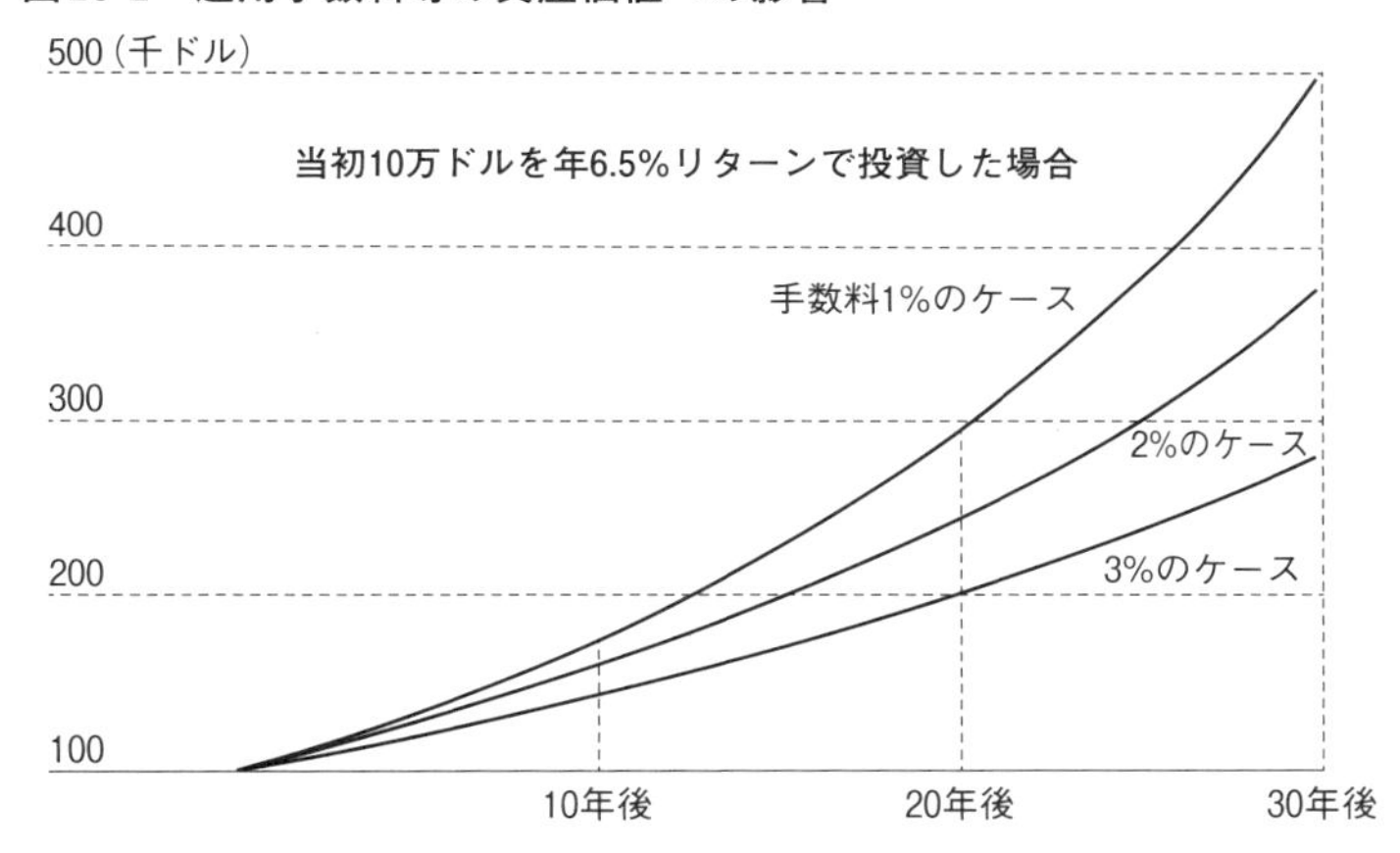

なければならない。

⑦「ライフサイクル・ファンド」や「ターゲット・デート・ファンド」など、時とともに資産配分が自動的に変わるファンドを前向きに検討するのもよい。

⑧毎年、勤務先が自分の拠出金と同額補助するＩＲＡ制度を利用しているかを確認しよう（多くの企業にこの制度があり、従業員に奨励している。これを利用すると拠出額は直ちに倍になる）。

⑨手数料に注意すべきだ。会社によっても手数料はかなり違う。ブラックロック、ノーザン・トラスト、バンガードのインデックス・ファンドの手数料は０・１％以下。これに対し、

同じインデックス・ファンドでも、売買取引手数料とその他の経費をあわせると、1%を超えることがある。一般に保険会社の小型ファンドの場合はさらに高い。長期になると、この「小さな差」が、1%に対して2%、3%というように、やがて大きな差になる。図25-2は手数料の差が長期的にどれだけ資産価値の差になるかを示している。

⑩ 年齢によってはRoth IRA制度(訳注:個人年金制度の一つで、積み立て時に所得税の控除はないが、運用と引き出し時は無税)も検討してほしい。Roth IRAは特に若い人にお勧めだ。多くのファンド会社では、この制度があなたに合うかどうかについてわかりやすく説明している。

尚、複雑な法律に懸念を持つ企業もあるかもしれないが、こうした問題は徐々に解決されるだろう。

第26章 人生の終盤で成功するために

投資家は、チェス・プレーヤーと同様、人生の終盤をうまくこなすことで生涯の運用成績を格段に改善できる。また、そうすべきでもある。老後の生活にゆとりのある幸運な人は、余裕資金の有効な使い道について考えることができるし、またその責任もある。通常それは、人（家族）、ないし価値観（大学、学校、病院、宗教団体など）への支援という形をとる。

資産を最大限活用して、何ができるかを決めることは、貯蓄や運用の仕方を決めるのと同様、きわめて重要だ。目標は三つある。第一は、自分の引退後の生活資金の確保である。第二が愛する者への遺産。第三の社会への「お返し」も、私たちの心に励みと充実感を与えてくれる。お金はきわめて効率的な価値貯蔵、移転の手段であり、資産の使い方で自分らしさを表現することができる。

富は、良くも悪くも力を持つ。そして、莫大な富は強大な力を意味する。大成功を収めた資産家が子供に残す莫大な遺産は、子供の価値観を歪め、彼らが自分で富を築く喜びを奪うというマイナス面があることも、よく考える必要がある。金持ちのぐうたら息子や娘ほど哀れなものはない。

「賢明な資産家は、保有する資産の管理をよく考え、配偶者や子や孫への影響も十分考慮している」とハーバード大学の社会貢献アドバイザー、チャールズ・コリエは言う。「最も重要なのは、子や孫が適切な年齢に達した時に家族の財産状況を説明し、できるだけ早くから彼らに責任を与えること」

コリエはこう続ける。「アリストテレスとその思想的流れを汲むトーマス・ジェファーソンによれば、『幸福への道』は、自分自身を知るという内面の旅と、社会の役に立つという外面の旅からなる」

遺産贈与の七つのポイント

家族などへの遺産贈与について検討する前に、お金には強い象徴的な意味があることを、もう一度提起したい。精神科医によれば、多くの患者は両親との関係や子供時代の経験、心の奥底の希望や恐怖、またきわめて内密な夢や性的経験などについて、比較的治療の早い段階から話すが、驚くべきことにお金のことについてはほとんど話さないという。

お金の象徴的意味は、時にすさまじいほど強力で複雑であり、人によっても異なる。

お金の話をオープンに時間をかけて、納得いくまで議論することはとても難しい。だから遺産についてはよく考えて慎重に進めなければならない。あなたが生きている限りそれは自分のお金だが、どんなに今が幸せでも、その幸せは永久には続かない。

適切な遺産贈与計画を立てるためには、弁護士の助言を得るのがよい。しかしここでは、あなた自身で考えるべきいくつかの項目を挙げてみたい。人はそれぞれに自分の目的を持ち、自分で意思決定をしたいからだ。

① 毎年1人1万5000ドルまで、非課税であなたの指定する人へ贈与できる。夫婦なら年間2万8000ドルまで。長期的にはほとんどの人にとって、この毎年の非課税の生前贈与が生涯を通じて中心的で、時に大部分を占める遺産計画だろう（幼児に対する贈与の場合、「年少者への贈与に関する法律」により、両親のどちらかを財産管理の代理人に指名できる）。この贈与の主なメリットは、遺産に対する課税から完全に除かれるという点だ。
こうした優遇税制を活用して子供の資産形成をするのも悪くない。この贈与により確かに一財産ができる。贈与された額から生まれる投資収益への課税は、子供の

税率に基づく。これは間違いなくあなたの税率よりはるかに低いだろう。20年間、毎年1万5000ドルずつ贈与し続け、運用がうまくいけば50万ドル近くになるかもしれない。両親から1年で3万ドルもらうと、長期的には100万ドル以上になる可能性もある。ここでも成功へのカギとなるのは、運用に時間をかけることと、複利の二点である。計画を十分に考え、早くスタートし、計画どおりに実行すること。

② 2021年現在、1170万ドルまでの贈与者（相続を含む）に対する連邦税は非課税だ。これを使いたいお金持ちの方は利用するとよい。2025年までの優遇措置だ。

③ 住宅に関しては面白い条項がある。適格個人住宅信託制度と呼ばれるもので、子供に住宅の所有権を譲渡したうえで、一定期間（たとえば15年）、自分の家に家賃ゼロで住めるという制度だ。信託期間中に死なない限り、遺産課税を大幅に節約でき、住宅の名義は子供に移る。住宅は次のような理由から、課税評価額で贈与される。内国歳入庁（IRS）は課税評価額の算定にあたり、子供が15年の信託期間終了後の想定価格で住宅の贈与を受けるとみなす。

④ 子供や孫に多額の資産を残したいが、彼らがまだ若くて多額のお金を得ることで人

生を狂わせてしまわないかと心配するようなら、信託契約を結んで一定の年齢など条件を満たした時のみ資金を引き出せるようにすればよい。

⑤子供や孫に贈与する時期を遅らせて多額の寄付をしたいなら、ジャッキー・オナシスが使った仕組みが参考になるだろう。その仕組みとは、まず一定金額の信託契約をし、20〜30年の期間でその運用収益の一部（毎年一定額か、資産の一定割合）を毎年あなたの指定する学校、慈善団体などに寄付するというものだ。20〜30年後に、信託元本は事前に指定した受益者（たとえば子供）に対して贈与される。

ここでは相続税はなく、贈与税が、ＩＲＳの定めた割引率で計算された信託元本の現在価値に対して課税されるだけだ。20〜30年後の資産市場価格と比べれば、ほとんどないに等しい金額だろう。

この仕組みは多額の資産を最小限の税金で贈与する名案である。なお、この制度におけるいくつかの重要な数字は、いずれも超長期の市場予測に基づくものだ。現実に適用する場合は、信託契約の骨格を固めたうえで何種類かのシナリオの中から最適と思われるものを選ぶとよい。こうすれば、自分の寄付したい団体に寄付ができ、また子供や孫にも残せる。

⑥税引き後で１００万ドルの資産を残そうとすると、贈与する側に課税されるので、

それ以上の資金が必要となる（訳注：アメリカでは贈与する側に課税され、もらう側には課税されない）。

⑦ 遺産相続関係の弁護士を頼むのもよい。長きにわたって相談できる。

複雑な問題に直面した時、論理を逆転したり裏返したりしてみることは、見方を変え、自由な発想をするうえで役立つことが多い。遺産税を遺産という資産に対する課税ととらえずに、自分の財産の分配について、生きている間に（特に若い時期に）重要な意思決定をしなかったことに対するペナルティーとして理解することもできる。贈与をきちんとしておけば、多額の税金を払わなくてすむ。

たしかに、多くの人は財産をどのように分配するかを決めることに消極的だ。しかし、複利という強力な武器を最長期間活用すれば、あなたの運用目的の達成に最大限貢献できる。それは今、あなた自身が決断することでしか実現しない。

子供に多くの資産を残しすぎない

ところで、人生における金銭的成功を確実なものにするうえで、検討すべき五つのポイントがある。

●収入
●貯蓄
●投資
●社会貢献
●遺産

理想的には、バランスのとれた人生を十分楽しみながら、最大限の目標達成を目指す。他の運用の場合と同じように前もって計画を立て、適度に保守的に、できるだけ若い時期に始める。そして、長い運用期間を活かし、可能な限り一度決めたことを実行し続ける。

教育は、一般に最高の投資だ。自分自身や子や孫の教育だけでなく、教育資金をまかなえない家庭の子供を支援する方法もある。教育は、将来長きにわたって収入を増やす力があり、生活を豊かにし、人生の選択の幅も広げる。もう一つは健康への投資だ。適度な運動、体重コントロール、禁煙など、健康であれば寿命が延び、医療コストを減らせる。

子供や孫にどの程度の資産を残すのがよいのかを賢者は考える。足るを知る者は富む。

世界最高の資産家の2人は、子供にはあまり多くの資産を残さないと決めている。ウォーレン・バフェットは言う。「子供に残す理想的な金額は、それで（したいと思うことを）できる額であり、何もしなくてもよい、と思わせてはいけない」

バフェットの友人、ビル・ゲイツも同意見だ。「私が財産を社会に返し、子供にはその一部しか残すべきでないと考える理由の一つは、それが子供たちにとってよいと思うからだ。彼らも働き、社会に貢献すべきなのだ。それが充実した人生を送るうえで重要なことだと思う[1]」

子供への贈与や相続を考える時に問題となるのは、子供一人ひとりの個性、資産、収入などがそれぞれ異なることだ。均等に分けることが必ずしも公正とは言えない。遺産分割にあたっては、当然のことながら当事者間で緊張が生まれるので、対応を事前に考えなければならない。贈与や相続で、家族の絆が強まることもあれば、壊れることもある。課税上有利な分割が、家族一人ひとりにとって望ましいとは限らない。

家族として、社会貢献や事業といった実現したい価値観があるだろう。その価値観を育てることが大切な教育とも言える。資金を与えることの意味は、自分は何者か、どう見られたいか、どういう人だったと思い出してもらいたいか、ということだ。だからこそ、彼らと共通の価値観を持つことが重要だ。

自分の価値観や将来への希望について、家族と話をしてみてはどうだろう。遺言とは別に、それについて愛する家族に書いてみてはどうか。人生において、実はそういう機会はあまりない。家族に適切な額の資産を残し、なお余裕のある人は社会貢献できるという、素晴らしい機会を見過ごすべきではない。

「慈善のための寄付」という表現は、事の本質を全くとらえていない。そうではなく、想像力をはたらかせて、積極的に自分のお金を使うと考えてはどうか？　あなたが独力で長い時間をかけて得た報酬で、かけがえのない人や組織を通じて社会に貢献する。人々の人生の向上のために、積極的に何らかの支援ができることは、このうえない喜びと精神的な充足感をもたらす。

人生を豊かにする社会貢献をしよう

資産家が、財産は自分の力で築いたと思うのも、一理あるかもしれない。よく働き、リスクを取り、困難に打ち勝ってきた。しかし、アフリカや中国西部などで生まれていたら、それだけの財産を稼げただろうか？　アメリカのダイナミックな経済、豊富なビジネス機会、高度な教育システム、退職後の財産形成のための優遇税制（売却時にキャピタル・ゲインにのみ課税される制度）などから私たちが多大の恩恵を受けてきたことは間違いない。

イギリスの詩人ジョン・ダンが述べているように、私たちは社会の一員だ。一般の人は家族に資産を残し、身近な地域社会に関連した分野に寄付する。さらに余裕のある人は、人道的見地から、世界のさまざまな深刻な問題解決や発展のために貢献することを考えるだろう。アブラハム・マズローの有名な欲求段階説によれば、「自己実現欲求」の上にくるのは「超越的自我」にかかわるものだ。この欲求は、他者の欲求や希望を直接助けることで満たされる。

社会貢献をすると、懸命に働いて得た資産が社会に役立つことで、深い喜びを得られる。昔から言われているように、「(あの世には)財産を持っていけない」。少しでも社会へのお返しをした人は例外なくこのことを指摘する。そして、多くの貢献をした人が、より多くの満足を得るようだ。

深い精神的充足をもたらす活動を選んでみよう。寄付することで何かに貢献できる。自分が本当に大切に思うものに貢献することで、大きな喜びを得られる。いくつかの社会貢献の実例を挙げてみたい。

● 芸術、科学、ビジネスなどの分野で、将来性のある優れた才能を持つ青少年のための

奨学金制度を作る
●不幸に見舞われたり人生につまずいたりした青少年を支援する奨学金に寄付する
●科学、医学あるいは社会公正の分野に寄付する
●病院、介護施設、その他の困窮する人々を助ける施設を支援する
●人生を充実させる芸術（音楽、ダンス、演劇、絵画、彫刻）などを後援する
●時間とお金を使って地域社会から信頼されるリーダーとなり、住みやすい地域社会づくりに貢献する

ボランティアとして全国的な施設や世界的な大組織にかかわったり、あるいは地域で働いても大きな満足を得られるだろう。長年、積極的に活動してきた人は、寄付自体も大切だが、時間と技術とエネルギーを使って参加することに大きな意味があると語っている。人生で、こうした貴重な経験をしないのはもったいない。

あなたの時間と才能とお金を役立てることは、二つの点できわめて実りが大きい。人のために役立つことに参加できれば、相当の達成感が得られる。さらに、刺激的で生き生きとした人とともに働き、貴重な友人関係を築けるのも素晴らしい。素晴らしい仕事は素晴らしい人を惹きつける。人のためになる重要な仕事は、最高の人材を惹きつけるのだ。

第27章

資産家のためのアドバイス

幸運にも2500万ドルの資産を持てるようになったとしたら、大変な成功だろう。全米でも5万人ほどしかいない。しかし、それはそれで新たな問題を生む。自分に合った投信会社をどうやって見つけるか？　子供や孫にどのくらいの資産を、いつ渡すのか？社会貢献のために、いつ、どれだけ寄付するのか？　といった問題だ。

さらに多額の、たとえば1億ドル以上の資産家の場合、資産管理の専門家にアドバイスを求めたほうがいいだろう。ただ、私のように、資産に対して毎年1～2％の報酬を高すぎると思うなら、5年に1回、時間当たりの報酬で、財産状態、投資計画などのすべてを検討してもらうとよい。それで、大きなミスを避け、的確な判断が得られるなら、安いものだ（お勧めは大規模な財団や企業年金に属している最高の運用プロで、彼らはそれなりの時間給を出せば、週末のサイドワークとして働いてくれるだろう）。

信託法や財産管理専門の弁護士と契約しておくのも一案だ（若手弁護士のほうが、今後長く見てもらえるので好都合だ）。最後に、会計・税務のアドバイザーとして、一流会計事務所の中でもトップクラスの若手会計士と契約し、日常的な運用管理や帳簿管理をするパートタイムのスタッフの管理を、毎月サポートしてもらうのも有効だろう（定年退職した優秀な帳簿管理者がパートで働いてくれる）。

資産運用に成功した資産家が考えておくべきことは、さらなる資産増を目指して攻め続けるか、それとも守りを優先するか、という問題だ。かなりの資産家なら、さまざまな業者が投資資金を出させたい一心で、実に魅力的な顔をして殺到するだろう。そうした人たちに会うのはとても心地よい。しかし、彼らはあなたの財産だけが目当てである。

いわゆる「オルタナティブ投資」にも関心が高まっている。それにはいくつかのわけがある。一部業者の高額所得はマスコミにとって格好の材料だ。たしかに中には素晴らしい実績をあげた業者もいる。いずれにせよ、投資家とは低いリスクで高いリターンを望むものだ。

オルタナティブ投資が脚光を浴びてきた理由が、もう一つある。イェールやハーバード、MIT、プリンストンといった最もレベルの高い大学財団の運用において、オルタナティブ投資が最も早くから、そして長期にわたって高い運用実績をあげてきたからだ

（私は長年にわたりイェール大学財団の投資委員会の仕事をしてきた）。この実績は他とは比べ物にならないほどの高さであったが、同時に、その実績は厳格な管理のもとで組織的に実行された運用の成果であって、なかなか真似できるものではない。

私の8歳の頃の経験をご紹介しよう。母が子供たちをサーカスに連れて行ってくれた時、空中ブランコの若者の芸に心を奪われた私は家に帰り、早速自分でもやってみた。もちろん失敗の連続で、膝も肘も頬も、傷だらけになった。プロの真似は難しい。ウォール街に昔から囁かれるクイズがある。「小金を作る秘訣は何か？」。答えは、「まずひと財産持ってきて、プロの運用をまねればよい」というものだ。最近評判の新しい運用手法を示唆するものとも言えるだろう。

ヘッジファンド

ヘッジファンドが注目を集めるようになったのは、今世紀初頭のＩＴバブル崩壊の時にも好成績を残したことによるだろう。ただ、主たる要因はその運用報酬の高さにある。2％の手数料と、実績が一定水準を上回った場合の20％の成功報酬という制度だ。優秀なファンド・マネジャーの仲間が年に１０００万ドル稼いだとか、中には1億ドル稼いだとか聞けば、心を動かされるだろう。知的な仕事で、面白く、うまくいけば高収入につながる。つまらないわけがない。

ヘッジファンドにはありとあらゆる運用戦略が含まれる。そして、その経営者やマネジャーは、少なくとも見た目は優秀で、必死に働き、自信に満ち、着こなしもよく、一流ビジネススクールを出て、一流企業で働いてきたような人たちだ。しかしながら、ヘッジファンドの中には大きな問題を抱えるところもある。たとえば、あるファンドが独特な投資手法を見つけたとしよう。するとすぐに他社が真似をするようになり、間もなくその独特の手法による有利性は失われ、新たに儲かる方法が必要になる。毎年10％以上のヘッジファンドが消え、多くのヘッジファンドの成績がよくないのは、同じ手法に多くのファンドが一斉に群がるからだ。

ヘッジファンドとその投資家にとっての課題は、リターンの数字にある。仮に株式のリターンを7％とした時、同様のリターンを（手数料込みで）ヘッジファンド投資で得るには11・25％が必要であり、ヘッジファンド・マネジャーには、それだけ高い運用力が求められる。これを実現するのは容易ではない。もちろん、この数字やそれ以上の成績を達成するヘッジファンドはあるだろう。ただ、問題はこの点ではなく、自分が投資するヘッジファンドがこうした好成績を長年にわたって継続できるのかどうか、特にヘッジファンドに資金が流れ込み、有利な投資機会に対する競争が激化していけばどうなるのか、ということだ。

ベンチャー・キャピタル

ベンチャー・キャピタルが注目を浴びている。これまで長期にわたってベンチャー・キャピタルへ流入してきた資金量は驚くべきものだ。アップル、イーベイ、フェイスブック、ウーバーといった超成長銘柄を発掘し、投資が100倍になるという世界は、ロマンに満ちあふれている。

しかし、ベンチャー・キャピタルに投資する前に気をつけるべきことがある。過去30年の統計で、上位4分の1のベンチャー・キャピタルの平均リターンは28%だった。一方、ベンチャー・キャピタル全体のリターン平均は5%に満たない。トップ10社のS&P500を超える超過収益は、残りすべての合計を上回る。相対的に見て、トップ10社以外は全体として市場平均に負けていて、流動性はなく、リスクも大きい。主要なベンチャー・キャピタルの好成績は継続してきており、これからもその成績が続く可能性は高い。

成功の秘密は、秘密でも何でもない。資金は重要だが、それだけでは不十分だ。優れたベンチャー・キャピタルのマネジャーは、単に画期的な商品を見つけて投資するのではない。そうした能力に加え、彼らの強みは、優れた起業家を見出し、その経営を支援する点にある。もちろん、積極的に経営にも関与する。駆け出しの起業家たちは、成功した先輩から、優れたベンチャー・キャピタルの活用法を学ぶことができるのだ。

優秀なベンチャー投資家は、彼らがカバーする業界の大企業、中堅企業、小企業の事情を熟知している。優れた起業家は、優秀なベンチャー投資家のアドバイスが貴重で、そのアドバイスによりこれまで多くのベンチャー企業を成功させてきたことを知っている。特定の技術分野に特化してきたことで、一流のエンジニアやセールスパーソン、工場管理職、財務スタッフについても熟知している。また、なぜ彼らが役に立つか、彼らをどう組み合わせればチームとして機能するかもわかっている。こうした専門知識は、ベンチャー企業が発展するための基本条件だ。

一方、優れたベンチャー・キャピタルのマネジャーは、ベンチャー企業が経験を積むにつれて絶えず新しい商品を開発し、販売先市場も変えていくことを知っている。ベンチャー企業の成功のカギは、必死に成功を求め、変化し続ける起業家の熱意と、うまくリスクを回避しながら新しいものにチャレンジする姿勢にある（決してリスクを取ることではない）。

優れた実績をあげたファンドが勝ち続けるのは当然のことだ。唯一の問題は、最高のヘッジファンド同様、最高のベンチャー・キャピタル・ファンドは、新規の投資家に閉ざされていることだ。投資枠を拡大したいという長年の既存投資家の希望すら受け入れられないのが現状だ。さらに、過去の投資が成功し、資産家となった起業家の要望や、巨額のボーナスを得たマネジャー自身の投資ニーズもある。ひとことで言えば、投資したいと思うようなファンドには投資できない、ということだ。コメディアンのグルーチョ・マルクスも言っている。「自分をメンバーにしてくれるようなクラブには入りたくない」

不動産投資

不動産投資も魅力的だ。世界の大富豪の多くは、不動産投資で財を成してきた。課税上の優遇措置を最大限に活用したからだ。そして、彼らの十分な資金調達能力に裏付けられた巧みな借り入れ、強力な交渉力、忍耐と決断と実行力の賜物とも言えるだろう。さらに、不動産投資で成功するには、その地域の詳細な事情や個別の投資案件についても、テナント名や契約条件、改築による将来の賃料引き上げの可能性、有力なテナントの誘致能力など、高度な専門知識が必要だ。全力投球が求められる。

こうした条件をすべて備えた人はほとんどいないだろう。とても片手間でできるものではない。だからこそ、幸運に恵まれれば、不動産投資のプロは高い運用成績をあげられるのだ。

だが、あまり手間暇をかけずに不動産投資をしたいなら、証券取引所に株式として上場された不動産投資信託（ＲＥＩＴ）がよいだろう。その価格は不動産市場と株式市場全体の動きを反映する。ＲＥＩＴの長期リターンは株式市場全体にほぼ等しい。

プライベート・エクイティ

それ以外のオルタナティブ投資のプライベート・エクイティ・ファンドは、一般に新規の投資家には門戸を閉ざしている。個人投資家にとってはそれでいい。多額の借り入れによるリターンかさ上げ効果を除けば、プライベート・エクイティは全体として市場より成績は良くない。言い換えれば、多少の信用借り入れをして普通株を買うほうがましで、普通株ならいつでも売買できる。

コモディティ投資

金・穀物・原油先物といった、いわゆるコモディティ投資は、それ自体が経済価値を生むものではない。したがって、需要と供給によってのみ価格変動が起きる。コモディティの売買に参加するトレーダーは、投資しているわけではなく、自分の判断は市場より正しいと信じて賭けている。彼らは正しいかもしれない。しかし、その正しい売買判断の相手側に、全く同数の間違った判断が存在しているわけだ。市場全体の売買結果の合計はゼロではなく、コスト分だけマイナスとなる。

最近は、金に対する関心も高まっている。金ETFが出現した効果もある。金価格は過去数年上昇を続け、さらなる高騰を予測する向きもある。ただ、注意すべきは、1980年代初頭のインフレ調整後の金価格は、1オンス2250ドルを超えていたことだ。そして、現在は1870ドルにまで下がっている。

第28章 敗者のゲームに勝つために

運用における最大の責任者は、運用機関ではなく、個人あるいは年金・財団といった投資家自身である。投資をする時は、自分の長期投資目的を確認し、その目的を実現するために運用機関の助言を受けながら、最適かつ現実的な投資政策を策定しなければならない。

投資をする人は、自分の置かれた投資環境やリスクに対する精神的な許容度、マーケットの歴史を学び、総合的に把握しておく必要がある。市場の現実と、投資家の経済的・精神的なニーズの間にずれが生じると、決してよい結果は生まれない。

逆に、これらをしっかり把握しておけば、「マーケットに大きく勝つ」運用機関が存在するはずだ、という幻想を持たなくなる。「豊富な情報を持ち、勤勉で経験豊富で、ベストを尽くしてくれる運用機関を見つけたい」という要望は虚しい。「手数料やコスト、リスクや将来の不透明性を考慮しても、ほかに負けない運用機関を見つけたい」が、正しい期待だ。

アクティブ運用に勝つ唯一の方法は、他の投資家のミスに、相手よりも素早く乗じることだ。したがって、ほとんどの人や運用機関は思うような結果を出せない。投資とは「敗者のゲーム」なのだ。

しかし、「敗者のゲーム」に勝つ方法もある。それは、時代遅れとなった従来のルールでプレーしないこと。「問題の中身を十分に理解できれば、解決策はおのずとついてくる」とはよく言われることだ。私は50年前の論文「敗者のゲーム」で指摘した問題の解決に取り組んできた。難しい問題の解決には、問題の設定自体を考え直すことも必要だ。そうした観点から、私の関心は、市場に勝とうとして虚しい努力を続ける「敗者のゲーム」から、長期資産配分と運用基本政策を確立・堅持するという「勝者のゲーム」へと移っていった。

「敗者のゲーム」に勝つ方法

私が個人投資家を重視する理由は三つある。第一に、その膨大な数である。アメリカだけで5000万人、アメリカ以外でもほぼ同数存在する。第二に、多くの個人投資家は長期的な投資政策や戦略を一人で考えなければならない（個人投資家が必要とするような助言を、時間給で安く提供するアドバイザーがいたとしても）。第三に、市販されている投資関連書籍のほとんどは、個人投資家が専門の投資家に勝てるという、とんでもない幻想を売っているが、これは不可能な話だ。

幸いなことに、個人投資家は市場に勝つ必要はない。市場に勝つことに気を取られると、自分にとって最適の長期投資を行うという、もっと重要な目的がおろそかになってしまう。

投資で成功する秘訣は、投資計画をしっかり考え、それに沿って長期的に投資すること。ただそれだけだ。もし読者の皆さんが、私同様、この本の論旨をきわめて単純だと思われるなら、ウォーレン・バフェットの次の言葉を思い起こしてほしい。「投資は単純だ。しかし、単純なことを実行するのが難しい」。投資政策を慎重に決め、それを守り続けることこそ、投資で成功する最良の近道だ。複雑な行動をとる必要はない。株式市場の上昇・下落に振り回されてじたばたしないことだ。

株式市場を上回る成績をあげようとする時には、二つの問題が存在することを覚えておこう。一つは、市場を上回る成績をあげるのが非常に難しいこと。やればやるほど結果は悪くなる。もう一つの問題は、市場を上回る成績をあげようとすると、関心が長期的運用政策から離れてしまうことだ。

市場を上回るという「敗者のゲーム」に勝つことは簡単である。そんなゲームに参加しないことだ。市場の現実を踏まえ、自分の投資目的を達成するため、適切な運用基本方針を策定・堅持する「勝者のゲーム」に集中することだ。

上位4分の1の成績をあげることも簡単だ。インデックス投資をし、長期間保有し続ければいい（実際、この20年間、インデックス投資は、トップ4分の1のその上位2分の1にある。リスクを負うこともなく！）。

投資本来の目的に立ち戻ろう

投資をする人によってニーズや目的が異なる以上、ポートフォリオの中身も異なるはずだ。現在の資産状況、その資産や収入、借り入れや果たすべき責任、市場リスクに対する反応、そしてどこまで長期投資を貫けるかといった点について整理することで、一人ひとりの特徴が浮かび上がる。

投資をする人が、その責任を果たすうえで必要な資質は、次の三つである。

① 自分の本当の価値観と投資目的を掘り下げて理解しようとする意欲

②「ミスター・マーケット」の誘惑、市場はプロの機関投資家に優位であるという事実を含めた、市場と投資への基本理解

③自分の投資目的に合う投資政策を決定し、それを堅持する自己規律の精神。これこそが本書の主張だ

本書は、今日の投資の世界においてしばしば想定される慣行や行動に対する批判も提起しているが、運用機関自体を批判しているわけではない。問題は、運用機関の能力が足りないとか、努力が足りないといったことではない。むしろ逆だ。「市場に勝つ」ことが難しくなったのは、プロのファンド・マネジャーがきわめて優秀で真面目で、そして技術革新により直ちに重要な情報を得られるようになったからである。こうしたきわめて競争の激しい業界だからこそ、長期にわたって個人投資家がプロに勝つことは、ほとんど不可能になってきている。

投資の本来の目的は、「市場平均以上のリターンをあげる」ことではない。現実的な自分の運用目的を明確にし、長期的視野に立った運用政策を策定し、それに沿って実行するという三つのステップを実践することだ。運用機関の顧客は、本来、その委託資金がどのように運用されているかについて十分留意すべきなのに、現実にはほとんど任せきりにな

っているようだ。そして気づいた時にはすでに手遅れになっている。

本書は、自ら責任を持って自分の資産を運用しようとする方々に向けて書かれている。投資アドバイザーの方々も、顧客の皆さんに投資の本質を知ってもらえるように、この本をぜひ勧めてほしい。

以上、本書を読み終え、内容を理解された読者の皆さんは、本当の意味で投資に成功するために必要とされる簡明な原理を、身につけられたと思う。投資で勝つための準備は整った。ご健闘を祈る！

第29章　最後にひとこと

「疑問を持つことから、創造は始まる」とは、物理学者リチャード・ファインマンの言葉だ。長年の経験から、私は自分の考えが本当に正しいか否か、二度、三度と確認するようになった。しかし、次のような現実が続く限り、本書の主張は基本的に誤ってはいないだろう。

- 投資の世界において、優秀で勤勉なプロの数が今後増えることはあっても、減ることはない。投資が１９６０年代や70年代のような「勝者のゲーム」になることはまずないだろう。
- マーケット全体に占める機関投資家のシェアも、拡大することはあっても縮小することはない。すなわち、優秀なプロの数は減らない。あなたがプロでないなら、投資は危険なゲームであり続けるだろう。

●やがてそのうち、多くの人がインデックス・ファンドを使うようになるかもしれない。私たちは、長期的に成功するために、時間とお金の両方で勝負できるバランスのとれた投資手法を続ける。それが、インデックス投資だ。

運用機関との上手な付き合い方
――運用委員会などの役割

（訳注：本章はもともと年金や財団の運用委員会の委員の役割について書かれたものである。ただ、わが国ではアメリカほど権限・責任分担が明確でない。したがってこの部分は運用委員会に限らず、理事会メンバー・基金事務局、母体財務部門など、何らかの形で年金・財団の資産運用の意思決定・管理・監督にかかわる多くの方に参考になると思われる）

機関投資家の資産運用は個人の運用と根本的に異なる。しかしそれは、ヘミングウェイがスコット・フィッツジェラルドに反論したように、資金量の差によるものではない。読者の中には財団や年金基金、その他の機関投資家の運用委員会などの仕事に携わる人もいるだろう。ここでは、そのような方々がなすべきことについて整理してみたい。

ほとんどの機関投資家は半永久的な存在で、運用委員会が運用の責任を持つ。そしてその委員会が外部の専門機関に運用を委託する。運用委員会の責務は運用そのものではなく、ガバナンス、つまり効率的な管理・監督にある。

運用委員会の最大の仕事は、年金・財団などの資金収支に影響を与えるさまざまな要因を考慮し、最適な長期投資政策を策定すること。そして、運用機関と適切な関係を築けているかを確認することだ（前に述べたように、多くの機関投資家はインデックス投資の割合を増やしつつある）。

何十億ドル単位の大型年金や財団の場合、フルタイムの職員が担当し、運用委員会が監督する。しかし、多くの10億ドル以下のファンドの場合は、専任のフルタイムの職員はいないことが多い。そして、不慣れな内部の職員が運用を担当する場合、外部の専門家に運用全体を委託する場合、運用委員会が直接運用機関を監督する場合など、それぞれのケースに応じた方策をとっている。

運用機関とその顧客である運用委員会との関係を円滑にするには、当事者双方の役割・責任が明確かつ現実的なものでなければならない。特に運用機関が達成すべき目標を明文化し、両者で合意しておく必要がある。毎年一度は有効かどうかを確認すべきだ。それは運用機関の力量から見ても、市場の現実から見ても達成可能で、かつ運用委員会も十分納得しうるものであるべきだ。

運用機関と顧客の対話は通常、定例ミーティングの場で行われる。自らの資金運用なのだから、ミーティングは顧客が主導すべきだ。よく見られることだが、運用機関に任せてはいけない。事前に運用委員会が議案を決定して、運用機関側は必要な資料を、時間に余裕を持って用意する。必要な資料と言ったのには意味がある。やたらに多くの資料を用意すれば、本題から外れて混乱するだけだからだ。

長期の投資政策決定と投資の執行とは全く別の機能であり、峻別されなければならない。この二つを明確に区別することで、初めて資産運用の二つの機能の責任と権限が明確に規定されるのだ。

もちろん、この二つは互いに関連を持つ。運用成績は運用目的との関連で、客観的に評価されるべきだ。また投資政策は、その結果として実現した長期運用成績を見て、現実的だったかどうかが検証される。残念なことに多くの場合、投資執行実務だけでなく、投資政策策定の責任まで運用機関に託してしまっている。投資政策の決定とその実行、すなわち問題設定と解決を混同し、その両方を他人に任せるのはおかしい。

現代ポートフォリオ理論のツールを使えば、投資政策と目標を定式化するのは比較的やさしい。財団や年金顧客はシャープ・レシオ（リスク1単位当たりの超過リターン）とベンチマーク・リターンを用いて、各運用機関が投資政策達成にどこまで貢献しているかを確認できる。運用機関が市場平均に勝つことではなく、与えられた目的達成のために誠実に任務を遂行することを可能にする。

運用委員会と運用機関は次の三点の重要政策課題につき、はっきりと合意する必要がある。

① ポートフォリオが取る市場リスク水準
② 市場変動に従ってこのリスク水準を動かすか動かさないか
③ 個別銘柄リスクやセクター・リスクを取るか取らないか。また、取った場合の追加期待リターンの水準

最近の傾向として委託先運用機関は、インデックス投資を含め、広い裁量を与えられるようになってきている。だがたとえば、市場リスク、産業別リスク、個別銘柄リスクなど、さまざまなリスクを取るようになると、ポートフォリオのリターンがどのリスクをどこまで取ったことによってもたらされたのかがわかりにくくなる。

明確な投資政策との直接的比較によってのみ、運用機関の成績は測定され、評価されるべきだ。たとえば、成長株ポートフォリオの成績を市場全体の平均と比べるのは、理屈に合わない（同様に「成長株」マネジャーや「小型株」マネジャーが、単に市場全体の状況を反映しただけで、しばしばほめられたり叩かれたりする）。

運用機関とのミーティングでは、合意した運用目的や投資政策の再確認が必要だ。顧客である投資家と運用機関側の双方から変更の提案がなければ、明確に再確認の合意を記録しておく必要がある。

仮にどちらかが修正を提案する場合は、その根拠とともに関連資料を事前に送付すべきだ。そうすればメンバーが十分検討できる。最重要課題であるだけに、唐突に提案されるのは最悪だ。

個別株式の売買といった各論の議論は原則行わず、あっても手短にすべきだ。こういう話に皆が興味を持ってはならない。運用機関の面白おかしい話に耳を傾けてはいけない。仕事に関係のない娯楽でしかないからだ。ミーティング冒頭のテーマは、運用機関が合意された投資政策を誠実に実行しているかどうかの確認にある。理想的には、こうしたポートフォリオの検証と再確認は5分で終わる。それ以上かかるようなら、アポロ13号ではないが、「ヒューストン基地へ、問題発生!」という事態だ。運用目的が不明確か、実績が目標からずれてきたかだ。いずれにせよ何かがおかしい。

ミーティングの議題がもしアクティブ運用についてなら、ミーティング時間は2時間以内にすべきだ。そして、その時間は、運用機関の投資の考え方と手法を理解することを目的として、一つか二つの重要テーマにしぼり、突っ込んだ議論をすればよい。そのテーマとしては、ポートフォリオ戦略に影響を及ぼすような主要な経済環境の変化、運用責任を果たすための調査体制状況、主要産業の投資魅力度の変化などがあげられる。こうした議題についての意見交換を通じて、財団や年金基金は運用機関の考え方に深く触れることができる。

パフォーマンス評価の最終段階は、数字以外の定性的評価である。投資判断についての説明に筋が通っているか? 投資行動は過去のミーティングの説明と矛盾しないか? 運用機関の能力・知識・判断への信頼は高まってきたか、下がってきたか? 年金基金や財団はこうした「ソフト」の要素にも注意を払うべきである。というのは、「ソフト」な定性項目が悪化すれば、「ハード」な運用成績もいずれ悪化するという意味で、これが問題発見の最良の手がかりとなるからだ。

最低でも年に一度は年金や財団側が基金の財務状況をしっかりと説明するのがよい。ポートフォリオと密接に関連するからだ。同様に運用機関側も年に一度は、経営状態、特に長期戦略と約束した専門能力の強化状況について説明することが望まれる。

ほとんどのミーティングにおいて、景気見通しや今後の金利変動、ポートフォリオの産業別配分の変更、債券ポートフォリオにおける格付別配分（トリプルAとかトリプルB）の変更といった興味深い説明がなされるが、実はこうした話は全く時間の無駄だ。ポートフォリオ改善と、顧客と運用機関の相互理解向上の方策こそ議論されるべきだ。

最後に、将来に備えて3〜5ページ程度のミーティング記録を残すことを勧める。運用機関側と顧客側が1回ごとに交代で記録を分担するとよい。

尚、専門運用スタッフを持たない運用委員会が考えるべき項目は次の四点だ。

●第一に、特定の運用機関を解約するか？　基本的には、運用機関をむやみに替えるべきではない。

●第二に、ある運用機関に問題が発生したら、徹底した分析が必要だ。解約しない場合は、特にその後の観察が必要だろう。非常識と思われるかもしれないが、直近に大負けしたファンドに増額することは、経験的には悪くない。よく考えたうえで選んだマネジャーの運用手法が一時的に外れた時、市場の流れがその手法に有利なものに戻れば、ベンチマークをまた上回るからだ。運用委員会は、継続すべきマネジャーを解約し、旬の過ぎたマネジャーを採用しがちだ。そもそも運用機関の変更にはコストがかかる。しかも解約したマネジャーの成績が回復し、採用したマネジャーが不調な場合は最悪だ。

●第三に、これまでの運用機関の契約期間と資産量を手直しすべきか？

●第四に、基本ポートフォリオを見直すべきか？　もしその必要がないと判断するなら、現状の基本ポートフォリオからの大幅乖離は妥当か？　妥当でないと判断されれば、ミーティングの公式セッションは終了しよう（訳注：妥当でなければ是正するとの前提で）。

これらの課題に対する意思決定はいずれも例外的にしか行われない。基本方針は十分な検討の末に、長期的に実行するために定められたもので、簡単に変更されるはずがないからだ。そして、そう簡単に変更してはならない。

先端的な加工組立工場の工場長がよく知っているように、流れ作業においては単調な作業が続く。きちんと管理された工場には問題はなく、それゆえ原則として工程修正の必要もない。資産運用においても、長期投資では同じだ。だが、残念なことに、多くのアクティブ・マネジャーはこの単純作業を長期間続けることに我慢できない。

次に、運用委員会が委託候補先マネジャーを十分理解するために必要な質問事項を示そう。

●過去10年間、そのファンド・マネジャーの投資哲学・運用プロセスはどのように変わってきたか？　それはなぜか？　今後10年の間に変わりうるか？

●過去10年間、運用能力強化と業容拡大のため、どのように運用組織を変えてきたか？

●過去、どのように営業戦略を変えてきたか？　今後それをどのように変えていくのか？　それはなぜか？

●経営幹部育成と、世代交代にどのように対処してきたか？

●幹部社員の報酬はどのように決めているか？

こうした質問への回答を記録しておくと、将来同じような質問をした時の回答と比べることができる（この単純な手法はきわめて有効なので、スコットランドの投資信託や日本において何世紀も使われている）。

委託先運用機関の解約を決めた時は、考えてほしい。それは運用機関の失敗ではなく、あなたの判断ミスだったかもしれないことを。その場合、運用機関の選定プロセスと付き合い方をどう改善するかを明らかにするまで、次のマネジャーの採用を待ったほうがよいだろう。

インデックス・ファンドが低コストで手に入る以上、多数のアクティブ・マネジャーを採用し、分散してリスクを下げるという手法には意味がない。

また、財団の支出ルールを策定するうえでは、二つの原則がある。

第一に、市場環境いかんにかかわらず、維持できるものでなければならず、同時に長期的なインフレによる目減りを十分考慮したものでなければならない。

第二に、リターン目標は、運用成果を反映すべきであり、その逆ではない。間違っても財団や年金組織にとって「必要な」リターンを運用目標にしてはいけない。この点は運用委員会の責任である。

委員会においては実務の執行と、その管理・監督機能とを明確に区別する必要がある。そうすることで長期政策の枠組みを確立し、同時に、執行部門が効率的かつ効果的に、目標達成に集中する環境を整備できる。

こうしたあるべき姿の運用委員会には、どのようなメンバーが必要か？　機関投資家の財務責任者は運用委員会に常に出席し、委員会メンバーとの対話を通じ、組織の財政状態についての短期・中長期的課題について委員会の理解を高めるよう、努めるべきだ。運用委員会の大多数のメンバーには運用実務経験が必要だ。また、運用以外の専門家、年金や財団の財務に通暁した人が少数いてもおかしくない。すべてのスタッフは、組織の考えと運営の実態を十分理解していなければならない。いずれにせよ、十分なコミュニケーションなくして組織運営はうまくいかない。

各委員の任期の満了時期は計画的にずらしておくとよい。任期を5～6年とし、再任（1年）を1回、または2回認めることで、不適当と思われる委員を目立たないように解任することができる。委員の経歴・年齢・性別・経験・技術はできるだけ幅広く分散することが望ましい。理想的には、委員の任期は平均して6～8年といったところだろうか（お互いをよく理解し、一つのチームとしてまとまって、各委員の声に耳を傾けるようになるには数年かかるからだ。一方で、長くなりすぎると、お互いの言うことをあまり注意して聞かなくなる傾向がある）。

運用委員会は一般的に年4回開催されることが多いが、次の二つの理由により、運用の執行面には立ち入らず、管理監督に専念すべきである。

第一に、今日の高度に複雑・専門化し、めまぐるしく変化する資本市場で実務的判断にかかわるには、年4回では無理だ。

第二に、運営面でトップクラスと言われる運用委員会においてさえ、管理・監督上の課題は山積している。リスクの上限設定、運用目的と基本方針策定、ポートフォリオ構成の決定、委託先運用機関の承認、市場の暴騰・暴落期においても基本方針を貫徹すること、財団の支出政策策定、財団経営全体との整合性を維持するための財務委員会や理事会との協議・協力などである。財団の資産の流出入を一体的に管理するのが理事会の最大の責務と言える。

言うまでもなく、運用委員会は高い長期的リターンの実現に関心を持つわけだが、経験豊富な実務家はリスク管理、特にそれが忘れられがちな市場の活況期におけるリスク管理こそが最大の課題だと知っている。

ひとたび運用機関を採用すれば、その委託期間はできるだけ長いほうがよい。理想的には永久に。これを現実的でないと思う人もいるだろうが、そんなことはない。マネジャーを頻繁に替えるファンドを見ると、実際の変更コストは、一般に言われている3~5%よりはるかに高い。

こうしたコストに加えて、委員会や執行部が運用機関との良好な関係構築という本来の責務に集中できなくなるという、目に見えないコストも無視できない。委員会は運用機関の交替が多いことを非難するが、その場合の真の責任者は委員会自身である。マーケット比較のパフォーマンス・データを中心とした1時間程度の簡単なプレゼンテーションで採否を決めるために、マネジャーの解約、採用を繰り返すことになるからだ。マネジャーにも基金にも不満が鬱積(うっせき)し、何かおかしいと感じるようになってくる。

世界の資産運用業界において、「ガバナンス」とは売買取引のことを指すと間違ってとらえられている。戦争の時、将軍が個々のライフルの射撃を気にしないように、運用機関の優れたガバナンスは個人の売買取り引きを重視するものではない。映画「パットン大戦車軍団」でも描かれているように、将軍の仕事は物資の補給、兵士の訓練と組織運営にあるのだ。

さまざまな種類の資産について、専門の投資マネジャーが多くの情報から予想を立て、だ。

決定を下し、取引を行う。よい投資運用とは質の高い、よく考えられたプロセスのことだ。

最高水準の資産運用を見てみると、考え抜かれた投資プロセスに一貫して基づいていることがわかる。最高の運用とは、まずリスクをできるだけ回避すること。そして、リスクとの関連で流動性を確保すること。この二つの大切なことが守られていれば、よいリターンを得られる可能性も高まるだろう。

運用委員会の大切な仕事は、経営陣に、投資に関わる優秀な人たちが辞めることなく、やる気を維持することだと理解してもらうことにある。どんな組織においてもリーダー交代の時期は必ず訪れる。それだけに、優れた組織文化を継続していくことが何よりも大切だ。優れた組織のリーダーは、いつも謙虚である。

専ら運用機関の採用と解約に専念する運用委員会は、次の二つの点で必ず成績を落とす。まず、ミスが出る可能性だ。1年に4回、30分間か1時間、広範囲で複雑な決定過程のごく一部について話し合って決めたとしても、これは失敗に終わる。この選び抜かれた議案は、全体のごく一部分でしかない。二つ目は、委員会がガバナンスを理解しているなら、長期投資や、次のような重要な事柄をさらに検証するにはあまりに短期すぎるという点だ。

① その運用機関は、自分たちの目標を達成するのに十分な技術、経験、情報を持っているか？　もし持っていないのなら、根本から考え直し、何が問題で、どうすればよくなるのかを考える必要がある。

② その運用機関の技術は、他社との比較において、向上しているだろうか。運用委員会の運用機関との協力のプロセスは改善しているか？

③ 委員会は最適な時間軸を決めているか？　5年または10年、いやそれ以上が、運用機関を評価するには適切な期間だ。長期投資が投資政策の核だ。

④ 比較優位性を保つためにどんな工夫をしているのか？　私たちは、最良の運用機関に依頼しようと、他の大勢の投資家としのぎを削っているのだから。

⑤ 運用機関の中で自分たちは「最高の顧客」として名をはせているか？　運用機関は、自分たちの委員会をどう評価しているか？　自分たちが一番か？　そうでないなら、頑張らなければならない。

⑥ 「最高の顧客」になるために何をしているか？　そのためには何が必要だと思うか？　運用機関が自分たちの委員会を見ているように、自分たちの委員会を客観的にランク付けしたことがあるか？　採用しなかった運用機関は自分たちの委員会をどのよ

うに評価するか？

インデックス投資の利点は手数料とコストが低いことだが、それは長期的には良い投資成績を出していることと同様に重要ではない。そして、よい投資成績より重要なことがある。インデックス投資をすることにより、運用委員会が、資産配分と長期運用基本方針という最重要課題に集中できる、ということだ。

最後に一言。年金や財団の運用委員会の仕事は、興味深く、楽しく、充実感のあるものでなければならない。もしこれら三つの条件のうち一つでも欠けていれば、改善の必要がある。どうしても変えられないのなら、やめたほうがいい。模範的な基金はこの三つの条件を満たしている。運用委員会の仕事には熟慮の末の決断と、優れたリーダーシップが必要だ。そして、何より楽しい仕事だ。

［付録B］

市場に勝てないのは運用関係者全員の責任

アガサ・クリスティの推理小説『オリエント急行殺人事件』を読んだことがある方は多いだろう。名探偵ポアロが雪に閉じ込められた列車内で、密室殺人事件の犯人を見つける話だ。どの乗客も疑わしい。しかしポアロは、犯人は一人ではなく、全員が犯行に関与したことを明らかにしている。

投信や年金の運用においても、「市場に勝つ」という目標が達成できない説明にも、このポアロの推理が当てはまる。運用関係者全員にその責任があるように見える。よく調べてみると、成績が悪いのも、結局犯人は関係者全員ということになる。

多くの基金が非現実的なリターンを目指し、直近の成績がよいというだけの理由で、よい時と悪い時の振れ幅の大きい安定しない運用機関を採用する場合はさらに問題だ。上位4分の1の成績を達成できるファンド・マネジャーの数は全体の4分の1しかあり得ないのに、ほとんどすべてのマネジャーはそれを目標に掲げる。最近の行動経済学の研究によれば、運転でもダンスでも、その分野の人たちの自己評価を見ると、8割が自分を「平均以上」と評価する傾向があるという。

市場に負けている投信の負け幅は、平均して勝っている投信の勝ち幅のほぼ1・5倍だ。機関投資家向けの運用を見ると、全体の24％のポートフォリオはリスク調整後でベンチマークに大きく負け、75％はほぼベンチマーク並み。コスト後でベンチマークに勝っているポートフォリオは全体の1％もない。(1) その理由を見てみよう。

機関投資家向け運用を行っている特定運用機関数社の50年間の調査結果がある。それによれば、直近の成績が良好な運用機関が新規契約を獲得する傾向がある（多くの場合この機関の好調期が過ぎた後で）。反対に、直近の成績が悪い運用機関が一般に解約されやすい（最悪期が終わった後で）。また、値上がり相場が終わった後に株式への配分を増やし、大底で株式を減らすといった、間違ったタイミングで反対方向に資金を動かすこともよくある。こうした「高値買い、安値売り」のコストは計り知れない。

図B－1にも示されているように、専門スタッフ、コンサルタント利用、自分がこれはと思う運用機関を選択する能力といった強みがあるにもかかわらず、機関投資家の運用成績はベンチマークに負けている。3000の機関投資家ファンドを対象とした調査によ

図B-1　運用機関の変更前後の運用実績

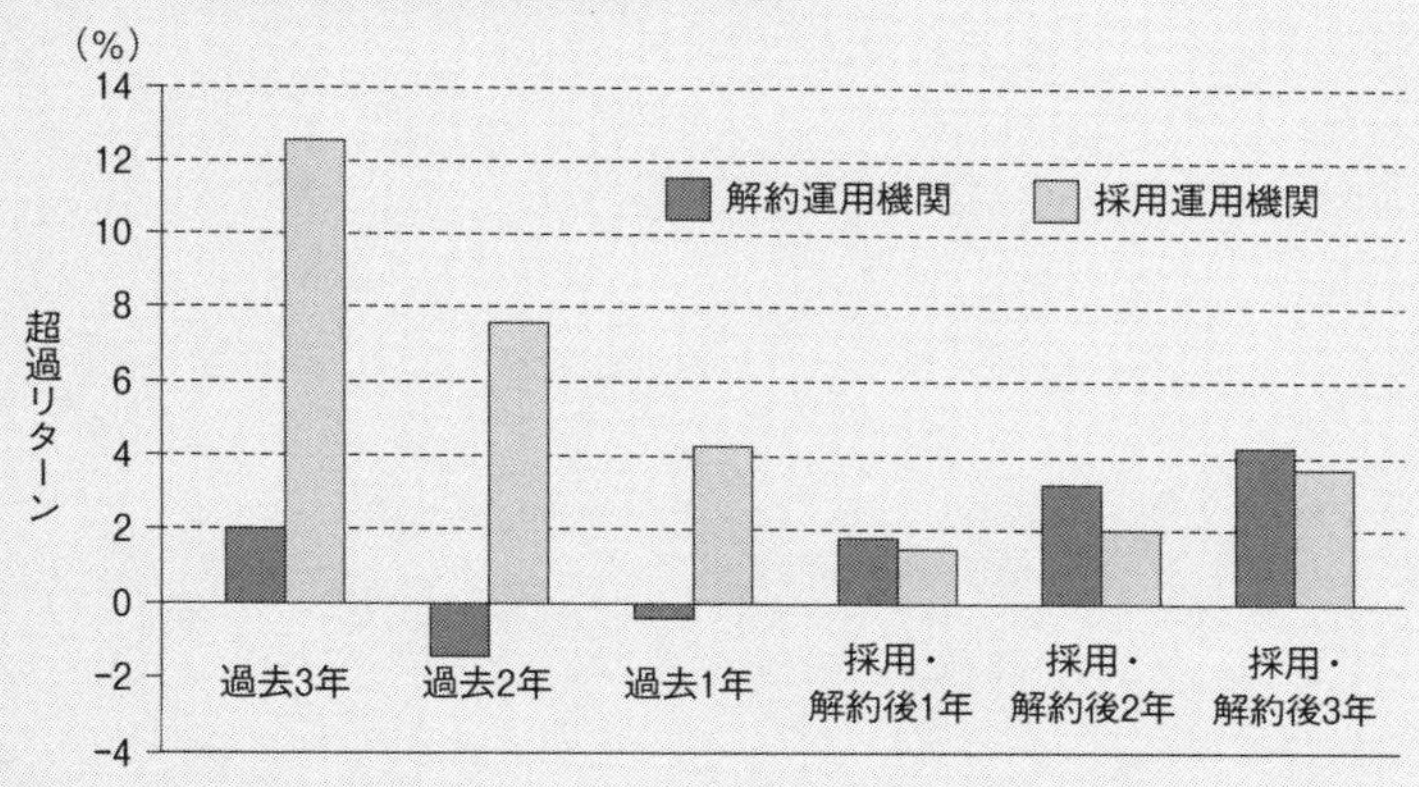

出所：Goyal and Wahal, 2008. *The Journal of Finance*. Vol.63 no.4. August 2008.
注：解約後、解約された運用機関と新規採用の運用機関の成績は、ほとんど変わらない。

れば、たしかに新規に採用された運用機関の成績は、採用前3年を見る限り、解約された運用機関を大きく上回る[2]（新規に雇われる運用機関の国内株の成績は、過去3年12・5％、7・8％、4・3％とそれぞれ上回った）。だが採用後は、解約された運用機関を下回っているのだ。

しかし問題は、新規採用の運用機関の成績が、解約された運用機関より多少低いことではない。解約に至るまでの数年にわたる大幅な成績不振だ。

運用機関の入れ替え後、新たな運用機関の成績が期待どおりでなくても、見直しのプロセスを検証する基金はほとんどない。そうした運用機関は、市場環境が一時的に合っていないだけで、今後の成績は好転するはずだと楽観的に考える。一方、基金側は成績不良の運用機関を解約したことで安心している。基金と運用機関が現実の結果を検証し認識しない限り、成績不振は続く。

皮肉なことに、いったん新規採用をすると、どのくらいの頻度で、またなぜ新規の運用機関の成績はよくないのかについて誰も調べようとしない。解約されたアクティブ・マネジャーは、成績不振は一時的なもので、そのうち回復すると自分に言い聞かせる。一方、顧客は、自分たちは成績の悪いマネジャーを賢く解約したと考える。顧客もマネジャーも実際に起きたことから学ばない限り、成績不振は続く。

顧客が自分の行ったことをきちんと検証すれば、解約前の運用機関の大幅な対ベンチマークの負けという巨額のコストは、最高のリターンをもたらす運用機関を見つけようとしたために起きたと言うこともできる。過去の成績が将来の成績を示唆するものではなく、直近の成績が高ければ高いほど、今後の成績が下がる可能性が高いからだ。

不安材料がアクティブ運用に重点をおく運用機関にはある。インデックス投資では、ほんのわずかな手数料で市場と同じリターンが得られるが、アクティブ・マネジャーは市場に勝つことだけが目標だ。しかし、特に長期的に考えるとそれはほとんど不可能である。第22章で述べたように、アクティブ運用の価値とは、アクティブ運用手数料を支払うことで、インデックス・ファンドと比べてどれだけ超過リターンが得られるか、ということだ。[3] だが、本当の手数料、すなわち超過利益に対する手数料は、アクティブ・マネジャーの稼ぐ超過収益を超えてしまっている。

今日の高度に専門化した市場において、市場に勝てない理由は手数料と運用経費にあることが、徐々に顧客にもわかるようになった。皮肉なことに、市場は、技術力が高く勤勉で、能力も高いアクティブ・マネジャーによって成り立っているため、市場に勝つことはますます難しくなった。それに、どのマネジャーがうまくやれるかを私たちが事前に知ることはできない。現実には多数のアクティブ・マネジャーのうち、わずか1割しか長期的に市場に勝てていない。

こうした「組織的」アンダーパフォーマンス（市場に大幅に負けるという事実）の責任は、明らかに運用機関にあるだろう。アジア、ヨーロッパ、オセアニア、そして北米の主要運用機関の戦略を議論してきた私の30年にわたる経験から得た結論だ。

理由はいくつかある。才能に恵まれ、日夜働く多くのアクティブ運用のファンド・マネジャーは、自分たちの価値と成果を信じている。彼らが営業用のプレゼンや運用報告の際に、運用成績を最も有利な形で説明したくなるのも無理はない。運用成績は、ほとんどの場合、「誇張」されている。過去の成績の計測対象期間は、成績を最もよく見せるように選ばれる。ベンチマークもしばしば同様の理由で使われる。

アクティブ・マネジャーが市場に負けるもう一つの理由は次のようなことだ。つまり、複雑な投資哲学や意思決定プロセスもしばしば単純化され、単純なデータとともに絶対的真理のようにもっともらしく書かれているので、顧客は運用機関が独自の運用能力を備えていると思い込む。企業情報は誰でも入手でき、多くの競争相手が優秀なアナリストを備えて掘り下げた分析を行うようになった結果、個別銘柄の発掘が困難になってきた、などと言うマネジャーはほとんどいない。多くの運用機関が卓越した成績に基づいて成長しようとする中、むしろ新規顧客を増やし、既存顧客をとにかくつなぎとめる戦略を志向するほうが現実的に見えてくる。

運用機関ランキングは説得力がある。直近の成績がよい運用機関は営業を一段と強化する。成績好調期の直後に新規口座を増やし、不調の時になんとかしのげば、経営はうまくいく。とすれば、年金や財団の成績が市場に勝てない責任は、運用機関にあると言える。

しかしよく考えてみると、運用機関だけの責任とも言いがたい。コンサルタントにも責任の一端はある。彼らの仕事は、採用された運用機関の成績をチェックし、解約後の新規マネジャー選択を手伝うことだ。多忙な基金にとっては、運用実績や経営陣の質を評価し、過去の約束と実績との比較を検証してもらうことは有効だろう。コンサルタントなどの仕事は、本来顧客の利益のみを考え、徹底的な検証を独立した立場から行うものだ。

現実には、コンサルティングもビジネスだ。コンサルタントは顧客のために役に立ちたいと考えるが、現実には会社の収益拡大が優先されてしまう。運用機関評価のためのデータベース整備などのコストがカバーできるまでに成長した後には、新規に獲得した顧客からの収益率は手数料の90%を超える。既存顧客からは将来にわたって収入を得られるのだから、顧客を失えば、将来の利益も失う。だからコンサルティング会社の経営者は既存顧客を失ってはならないと考える。このように収益重視の考え方が多くのコンサルティング会社に浸透してしまっている。

今後勝ち続けるマネジャーを見つけ、成績の落ちるマネジャーを事前に解約することが至難の業である以上、彼らの経営戦略として、防衛的に多数のマネジャーに分散することを助言することこそ、特定のマネジャーの成績不振やそれに伴うコンサル契約解約（将来の収入減）のリスクを避ける現実的方針だろう。収益を重視するならば、コンサルタントはできるだけ多くの顧客を長年維持する必要がある。彼らの関心は、必ずしも顧客の長期投資方針とは相容れない。

その結果、マネジャーの数が増え、成績不振のマネジャーが出る可能性も増す。基金は多数のマネジャーの成績チェックや入れ替えについて、コンサルタントにさらに依存せざるを得なくなる。そしてマネジャーの情報、評価、そして最終決定までもコンサルタントに任せてしまう。コンサルタントはマネジャーの選択にあたり、直近の成績がよいマネジャーを勧め、成績不振のマネジャーを継続しないように助言する。つまり、自分のマイナスにならないようにしているのだ（成績不良のマネジャーについて、一時的な不振で将来十分回復する、といった助言をするコンサルタントはほとんど聞かない）。

実績を見ても、コンサルタントの顧客は、成績ベストの期間が過ぎたマネジャーを採用し、最悪期を過ぎたマネジャーを解約していることが見て取れる。このように、基金が市場に負けている責任は、彼らにもある。

それだけではない。個人投資家、あるいは基金や財団幹部にも市場に勝てない責任があろう。運用機関の人たちは、専門のプロ集団であるため、投資家はどうしても言い負かされてしまう。そのため、運用アドバイスというサービスを自ら検証して選ぶというより、むしろ買わされているのが実情だ。成績のピークにある運用機関を採用するのが、最も容易な選択なのだ。だから成績不振について、投資家の責任も免れない。

私はこれまで世界中で1000万～4000億ドルの規模に及ぶ10件以上の運用委員会の仕事をしてきた。その経験から言えば、基金が市場に勝てない責任は、基金の運用委員会にもあることは明らかだ。

証拠を示そう。第一に、多くの運用委員会は、市場の大きな変化を十分反映した対応がとれていない。もはや有効でなくなった手法に固執するシニア・メンバーも多い。多くの委員会は自らの使命を十分理解できず、目的達成の障害にすらなっている。シェイクスピアが言うように、問題は「運命の星ではなく、私たち自身の中にある」。

ただ、運用委員会だけのせいではない。アクティブ運用のマネジャー、コンサルタントにも同様に責任がある。年金・財団など機関投資家の成績が市場に勝てない状況をもたらした責任は、すべての関係者にある。

しかし、彼らはすべて、自らの責任を意識していない。全力で良心的に働き、結果的に基金の運用成績を市場以下にしているとは夢にも思っていない。だから、アクティブ運用の問題が消えることはない。

［付録C］

推薦図書

なお、投資についてさらに理解を深めたい方には、以下の本とサイトをお勧めしたい。

① バークシャー・ハザウェイのアニュアル・レポート

チャーリー・マンガーと、世界最高の投資家ウォーレン・バフェットが、投資についての考え方を率直に、ユーモアを交えて説明する。本書はプロの投資家にとっても有用だが、息抜きのための1冊としても読みやすい。ちなみに、バークシャーの有名な株主総会の記録も同様に面白く、ためになる。

レポートは同社のホームページ（www.berkshirehathaway.com）からダウンロードできる。

② ベンジャミン・グレアム『賢明なる投資家』

運用業界の父とも言えるグレアムによる、上級者向けの入門書。かつてグレアムの弟子だったウォーレン・バフェットが推奨する、唯一の運用関係の本である。ジェイソン・ツヴァイクは、今日的観点からの注釈版『新 賢明なる投資家』を出している。

さらに勉強したい方は、グレアム&ドッドによる『証券分析』を読まれるとよい。80年以上前に刊行され、現在では第6版を数えるが、いまだにプロの投資家のバイブルである。

③ キャロル・ルーミス『完全読解 伝説の投資家バフェットの教え』

フォーチュン誌に掲載された、ウォーレン・バフェットの注釈つきの論文集。

④ ジョン・ボーグル *John Bogle on Investing*（ボーグルの投資）

ボーグルは、個人投資家の味方であるだけでなく、バンガードの創始者であり、業界のパイオニアでもある。明晰でわかりやすい。

⑤ デイビッド・スウェンセン『勝者のポートフォリオ運用』

イェール大学財団基金の運用責任者として大成功を収めているスウェンセンが、大型の非営利ファンドでの運用の秘訣を披露している。平易で、専門用語も難解な数式も出てこない。運用方針はきわめて賢明であり、アマチュアの投資家にもわかりやすい。これまでプロの投資について書かれた本の中で、最良の書と言っても過言でない。

スウェンセンの個々の投資判断の背後に潜む、洞察力に富んだ明快な説明を読めば、読者は次のような課題にどう対応すればよいかを知ることができよう。

- 基本ポートフォリオの策定とその理由
- 委託先運用機関の選定とその理由
- 財団の支出ルール策定とその理由
- 運用委員会の役割、権限、責任とその考え方

⑥ ダニエル・カーネマン『ファスト&スロー』

我々の行動は、経済学者が信じていたほど合理的でなく、一貫していないと説く。

⑦ ギュスターヴ・ル・ボン『群衆心理』

普段は冷静で合理的な人でも、群衆の一員になると我を忘れ、思考能力を失ってしまう様子を描いている。投資家の「群衆心理」を理解するための格好の書である。

⑧ アンドリュー・トビアス『トビアスが教える投資ガイドブック』

入門書として勧めたい。明快かつ網羅的で、率直でチャーミングでもある。100万部を超えるベストセラー。

⑨ バートン・マルキール『ウォール街のランダム・ウォーカー』

プリンストン大学の人気教授である著者が、プロに対して率直なアドバイスを提供する。100万部近い売り上げを誇る。

⑩ チャールズ・エリス『チャールズ・エリスが選ぶ「投資の名言」』

プロの投資家にとって必須の、代表的な論文のコレクションである。

⑪ チャールズ・エリス『チャールズ・エリスのインデックス投資入門』

インデックス投資をしたことのない方にお勧めの書。

⑫ バートン・マルキール、チャールズ・エリス『投資の大原則』

2時間もかからずに簡単に読める、投資初心者のための入門書。

⑬ ピーター・バーンスタイン『証券投資の思想革命』

ポートフォリオ理論や効率的市場仮説など、近代投資理論の根幹をなす思想の発展を描いている。

⑭ ジョナサン・クレメント HumbleDollar

インターネットで、毎日無料で投資について解説している。

訳者あとがき

チャールズ・エリスのこの『敗者のゲーム』は、数ある投資や資産運用に関する本の中では際立ってわかりやすく楽しく読める、いわば知的エンターテイメント書である。だからこそ、１９８５年の初版（邦訳『機関投資家時代の証券運用』大和正典訳）以来、36年間版を重ねたロングセラーとなった。これほど長い間世界の読者から人気を博してきたのは、まず、投資を始める出発点としてのリスクやリターンといった事柄を、数式を一切使わず、数々のたとえ話や豊富な事例を使ってわかりやすく説明しているからだ。そして、一般に投資は理屈っぽいものと思われているが、実は市場が大きく暴落した時に冷静さを保てるかといった心理的要素がカギとなるきわめて人間的なものであり、エリスは、投資の成功を常に人間の心理や行動と結びつけて説明する。

さらに、投資の世界においては、過去好成績の投資信託は将来ともよいはずだとか、リスクを分散するために債券や現金をある程度持つべきだといった神話に満ちているが、エリスは豊富な実証研究結果やデータベースを用いて、こうした神話をひとつずつ小気味よく否定していく。

その意味でこの本は、ある程度資金を持って投資を考える方々、老後や将来の住宅取得のための積み立てを考える方々、あるいは年金、財団、金融機関等で運用を仕事とする方々、金融機関や証券会社で投資信託に携わる方々など、さまざまな動機を持った人たちにとって参考になるものと思われる。

特に人生100年時代が近づいていると言われるが、多くの人にとって重要な課題である老後のための資産形成を考える上で、本書は頭の整理に役立つはずだ。さらに、個人だけではなく、機関投資家にとってもポストコロナの経済成長が不透明、低金利継続が想定される一方、海外からはインフレの足音が聞こえてくるという難しい環境の中で今後の資産運用を検討する上で、エリスの長い実務経験と洞察力に裏付けられた意見は貴重ではないだろうか。

エリスによれば、投資に成功するということは、値上がり株を見つけることでも、ベンチマーク以上の成績をあげることでもない。自ら取りうるリスクの限界の範囲内で、投資目的達成のため、市場の現実に即した長期的な投資計画、特に資産配分方針を策定し、市場の変動に左右されず、強い自己規律の下で、その方針を守ってゆく、ということだ。そうすれば、長期的な経済成長に見合う各資産の長期リターンを獲得することができるという。これこそエリスが長年にわたってこの本で伝えようとしてきた基本メッセージである。

著者のチャールズ・エリスは、2001年、自ら設立したグリニッジ・アソシエイツ社の代表パートナーを退任した。同社は有力経営コンサルティング会社として世界の大手運用機関・金融機関のほとんどと契約を結び、その代表としてエリスはきわめて高い信頼を得てきた。代表退任後も、世界の大手財団・基金のアドバイザーとして活躍してきた。

訳者は35年前、ニューヨークで資産運用の仕事に携わって以来、エリスとの対話を続けているが、彼の人間に対する温かい気持ちと、ものごとの本質をつかむ洞察力に、常に感動してきた。「まず自分自身の目標と限界を確認し、それをもとに運用方針を策定せよ」という本書の基本メッセージは、投資に限らず、人生のあらゆる局面にあてはまるものであろう。投資行動には、その人の人となりがすべて現れる。その意味で本書は、単なる投資の指針にとどまらず、人の生き方に対する深い洞察と示唆に富んでいる。

本書の出版にあたっては、日経BP日本経済新聞出版本部の赤木裕介氏と宮崎志乃氏に大変お世話になった。厚く御礼申し上げたい。

2022年1月

鹿毛　雄二

鹿毛　房子

Edition (New York: McGraw-Hill, 1996).

第21章

(1) John C. Bogle, "The Clash of Cultures in Investing: Complexity Versus Simplicity," speech given at the Money Show, Orlando, FL, February 3, 1999.

第23章

(1) Alliance Bernstein, 1964-2000.

第26章

(1) Richard I. Kirkland Jr., "Should You Leave It All to the Children?," *Fortune*, September 29, 1986.

付録B

(1) Laurent Barras, Olivier Scaillet, and Russ Wermers, "False Discoveries in Mutual Fund Performance: Measuring Luck in Estimated Alphas," *Journal of Finance* 65, no.1, February 2010, pp.179-216.

(2) Amit Goyal and Sunil Wahal, "The Selection and Termination of Investment Management Firms by Plan Sponsors," *Journal of Finance* 63, no.4, August 2008, pp.1805-1847.

(3) David F. Swensen, *Unconventional Success: A Fundamental Approach to Personal Investment* (New York: Free Press, 2005).

第4章

(1) ジェイソン・ツヴァイクが、ウォール・ストリート・ジャーナル紙に定期的に寄稿している。

第5章

(1) Benjamin Graham, *The Intelligent Investor* (New York: Harper & Brothers, 1949).

第6章

(1) Berkshire Hathaway, *1996 Annual Report.*

第15章

(1) Edgar Lawrence Smith, *Common Stocks as Long Term Investments*, 1924.

第18章

(1) C. R. Blake and M. R. Morey, "Morningstar Ratings and Mutual Fund Performance," *Journal of Financial and Quantitative Analysis.* 35, no.3 (September 2000).

(2) Gary Belsky and Thomas Gilovich, *Why Smart People Make Big Money Mistakes* (New York: Simon & Schuster, 1999), p.178.

(3) Dalbar, Inc.

第19章

(1) Benjamin Graham and David Dodd, *Security Analysis, the Classic 1934*

注

第1章

(1) Simon Ramo, *Extraordinary Tennis for the Ordinary Tennis Player* (New York: Crown Publishers, 1977).

(2) Samuel Eliot Morison, *Strategy and Compromise* (New York: Little Brown,1958).

(3) Tommy Armour, *How to Play Your Best Golf All the Time* (New York: Simon & Schuster, 1971).

第2章

(1) たとえば、Financial Engines（https://advisors.financialengines.com）とMarketRiders（http://www.marketriders.com）を参照。

(2) しかも、ファンド・マネジャーの腕と単なる幸運を、統計的に厳密に区別することも容易ではない。

(3) グリニッジ・アソシエイツ社の調査によれば、50年前、米国年金を対象とする上位20社の運用機関のうち、現在も上位20社に位置するものは1社しかない。イギリスでは、30年前のトップ20の投資マネジャーのうち、リーダーであり続けているのはわずか2人のみである。

第3章

(1) John C. Bogle, *Don't Count on It*！(Hoboken, NJ: John Wiley & Sons, 2011), p.74.

［著者］

チャールズ・エリス

Charles D. Ellis

1937年生まれ。イェール大学卒業後、ハーバード・ビジネス・スクールで最優秀MBA、ニューヨーク大学でPh.D.取得。ロックフェラー基金、ドナルドソン・ラフキン・ジェンレットを経て、1972年にグリニッジ・アソシエイツを設立し、2001年まで代表パートナーとして活躍。米国公認証券アナリスト協会会長、バンガード取締役などを歴任するほか、ハーバード・ビジネス・スクール、イェール大学大学院にて上級運用理論を教え、現在も、大手年金財団、政府機関や富裕層のファミリーオフィス等に投資助言を行う。著書に『キャピタル　驚異の資産運用会社』『チャールズ・エリスが選ぶ「投資の名言」』『チャールズ・エリスのインデックス投資入門』、共著に『投資の大原則』などがある。

［訳者］

鹿毛雄二

Yuji Kage

ユージン・パシフィック代表。東京大学経済学部卒業。長銀投資顧問社長、UBSアセットマネジメント会長兼社長、しんきんアセットマネジメント投信社長、企業年金連合会常務理事、ブラックストーン・グループ・ジャパン特別顧問、アセットマネジメント・ワン社外取締役、SMBC信託銀行社外監査役を歴任。

鹿毛房子

Fusako Kage

マーシー・カレッジ卒、ロングアイランド大学大学院中退（社会心理学）。ECC外語学院講師を29年間務めた。主な共訳書に『投資の大原則』などがある。

敗者のゲーム［原著第8版］

2022年1月5日　1版1刷
2025年6月11日　　　21刷

著　者　チャールズ・エリス
訳　者　鹿毛雄二＋鹿毛房子

発行者　中川ヒロミ
発　行　株式会社日経ＢＰ
日本経済新聞出版
発　売　株式会社日経ＢＰマーケティング
〒105-8308 東京都港区虎ノ門4-3-12

本文DTP　マーリンクレイン
印刷・製本　中央精版印刷株式会社

ISBN978-4-532-35911-9　Printed in Japan